Peter Schneider
Lenz
Rotbuch 104

D1318064

Peter Schneider
Lenz

Eine Erzählung

Rotbuch Verlag Berlin

41.–55. Tausend 1974
© 1973 Rotbuch Verlag, Berlin
Satz und Druck Poeschel & Schulz-Schomburgk, Eschwege
Printed in Germany. Alle Rechte vorbehalten
ISBN 3 88022 004 2

»Er ging gleichgültig weiter, es lag ihm nichts am Weg, bald auf-, bald abwärts, Müdigkeit spürte er keine, nur war es ihm manchmal unangenehm, daß er nicht auf dem Kopf gehen konnte.«

Georg Büchner, Lenz

Morgens wachte Lenz aus einem seiner üblichen Träume auf. Er war mit L. kilometerlang in einem Förderkorb durch ein Gebäude ohne Türen und Fenster gefahren. Um sie herum nichts als Wände. Dann war er einen dunklen Schacht hinuntergefallen, viele hundert Meter tief, ohne aufzuschlagen. Ein Fließband hatte ihn aufgenommen, das seinen Sturz in einen waagrechten Flug nach vorn verwandelte. Am Ende des Fließbandes wurde er aufgefangen. Er war erwartet worden: Frauen mit riesigen Brüsten, Zauberer, Clowns, saltoschlagende Kinder, die ganze kaputte Fellinitruppe. Ein Mann in einem flimmernden Kostüm drückte ihm einen Kuß auf den Mund. Lenz wurde wütend. Er sprang aus dem Bett.
Schon seit einiger Zeit konnte er das weise Marxgesicht über seinem Bett nicht mehr ausstehen. Er hatte es schon einmal verkehrt herum aufgehängt. Um den Verstand abtropfen zu lassen, hatte er einem Freund erklärt. Er sah Marx in die Augen: »Was waren deine Träume, alter Besserwisser, nachts meine ich? Warst du eigentlich glücklich?«

Während er Wasser für den Kaffee in den Kessel laufen ließ, überfiel ihn der Wunsch, L. anzurufen. Es ist noch zu früh, dachte Lenz. Sie wird mit dieser verschlafenen Kinderstimme »Hallo« sagen und mich dann fertig machen, daß ich schon wieder anrufe. Er vergaß, den Kessel auf die Flamme zu setzen und ging zum Telefon. Er hob den Hörer ab, hörte lange, ohne zu wählen, das Tuten und legte wieder auf. Er verließ das Haus. Es war noch früh, die Vögel brüllten. Er kaufte sich eine Zeitung und sah die Leute in den S-Bahnhof strömen. Männer mit großen Schritten und Aktentaschen, Frauen auf flachen Schuhen, immer etwas hastiger als die Männer. Sie gehen zur Arbeit, dachte Lenz. Er verband mit dem Satz keine Vorstellung.

Er ging zum Fahrkartenschalter, holte sich eine Karte und rollte mit den anderen die Treppe zum Bahnsteig hinauf. Auf halber Höhe drehte er sich um und drängte unter dem Schimpfen der hinter ihm Stehenden die Treppe wieder hinab. »So einem gehört was aufs Ohr gepatscht, daß er aufwacht.« »Halts Maul«, rief Lenz nach hinten. Es fiel ihm nichts besseres ein. Er ging in eine Telefonzelle und wählte die Nummer von L. Keine Antwort. Wieder hinauf auf den Bahnsteig, der sich inzwischen geleert hatte. Er nahm den nächsten Zug und fuhr in den Westen der Stadt. Eine Zeitlang stellte er sich vor, daß die Häuser und Straßen auf Schienen an ihm vorüber rollten. Er wunderte sich über die Helligkeit, die jeden Gegenstand besonders hervorhob. Die Fenster der oberen Stockwerke, die Baumkronen, die von hier oben wie Büsche aussahen, die Autobahnen unter dem Zug, alles, als sähe er es zum ersten Mal. Ganz kurz war ein Lied von den Doors in seinem Kopf, erst die Melodie, später der Text: people are strange, when you're a stranger, faces look ugly, when you're alone. Als er die Zeitung aufschlug, sah er die Zähne des Reißverschlusses an seinem Mantel. Sie kamen ihm zu groß vor. Er las eine Überschrift, die über die ganze Seite ging: Sittenstrolch verhaftet, Türke mißbraucht 13jährige. Neben ihm eine etwa 60-jährige Frau mit einer großen Nase, die sie zum Mitlesen über seine Schulter hing. Lenz hatte keine Lust weiterzulesen, er wartete, bis sie fertig war und blätterte ihr dann um. Er schaute in die verarbeiteten Gesichter seiner Nachbarn, die dieselbe Überschrift lasen. Dann wieder die alte kindische Vorstellung: das Hochhaus des Verlegers sackt brennend in sich zusammen.

Nach ein paar Stationen stieg Lenz um. Der Bahnhof war alt, fast eine Ruine. Zwischen Gleisen, die nicht mehr befahren wurden, wucherte Gras. Büsche wuchsen an abgestellten Waggons hoch, das Laub hing über Dächer und Fenster, in der Luft ein schwerer Geruch. Wie von Kastanienbäumen im Frühling, dachte Lenz, sah dann, daß da tatsächlich Kastanienbäume waren. Er sah eine abschüssige Straße vor sich, es war die Stadt, in der er aufgewachsen war. Mit dem Rad fuhr er unter den Kastanienbäumen hindurch. Die Äste bildeten ein Dach über die Straße, und der verbotene Samengeruch, den er sich morgens nach dem Aufstehen von den Händen wusch, strömte von den Blättern herab und verfolgte ihn bis vor das Schultor. Der einfahrende Zug riß ihn aus der Vorstellung, jemand habe seinen Namen gerufen.

Er fuhr lange, er wußte nicht wohin, dann stieg er aus und verließ den Bahnhof. Als er zurückschaute, sah er den Zug auf einer Brücke davonfahren, es war ihm, als führe er ihm davon. Dann ließ er sich von dem Menschenstrom, der aus dem Bahnhof drängte, wegtragen. Er war mitten in der Stadt, es waren andere Leute um ihn herum. Das schnelle Anfahren der Autos, wenn die Ampel auf grün schaltete, störte ihn. Es war einer der ersten warmen Tage im Jahr, und wie auf einen Gongschlag, der durch die ganze Stadt dröhnte, kamen die Frauen zum ersten Mal ohne Strümpfe und in leichten Pullovern auf die Straße. Überall neben ihm, vor ihm, hinter ihm trippelte und stöckelte es, die Beine der Frauen waren unglaublich weiß, und ein paar von den jungen Männern hatten schon etwas von dieser Art zu gehen an sich, in der man so über die Fußspitzen federt. Zum ersten Mal wippte und ruckte es wieder unter den Pullovern, Lenz spürte ein unruhiges Gefühl, das irgendwo im Magen beginnt und bis in die Fingerspitzen geht, aber dort nicht aufhört. Zuerst wehrte er sich. Er kniff die Brauen zusammen, als dächte er nach. Aber es war so ein Tag, an dem jeder jeden mit der Tatsache bekannt machte, daß er unter anderem ein Geschlechtsteil besaß.

Aus einer offenen Tür kam ziemlich schnelle Musik, im Vorbeigehen zog sie ihn fast zurück. Er blieb stehen und drückte seine Nase an ein Schaufenster, hinter dem ein schönes großes Mädchen gerade ein paar Sachen zurechtlegte. Das Mädchen schnippte mit den Fingern gegen das Fenster, genau dahin, wo Lenz seine Nase hatte. Lenz zuckte zurück, das Mädchen lachte, und weil er zurückgezuckt war, schaute sie nochmal hin und machte so eine Geste, als könne er ruhig mal reinkommen. Lenz freute sich so darüber, daß er einfach weiterging.

An einem anderen Tag kam der Student Dieter, der seit ein paar Monaten mit Lenz in einer Betriebsgruppe arbeitete. Als Lenz seinen strahlenden Blick sah, der eine Dauereinrichtung bei ihm war, bekam er gleich schlechte Laune. »Weißt du schon, wo unsere Gruppe sich morgen trifft, vor der Demonstration?« »Ich geh nicht hin«, erwiderte Lenz. Dieter sah ihn ungläubig an. »Flugblätter hast du mitgeschrieben, hast sie mitverteilt und jetzt willst du nicht mitgehen?« »Stimmt«, sagte Lenz, »in den Reihen der Arbeiterklasse, die ja durch uns gebildet werden, lasse ich diesmal ein gähnendes Loch.« Dieter setzte ihm zu, was in ihn gefahren sei, er erkenne Lenz nicht mehr wieder, schon seit einiger Zeit sei ihm aufgefallen, daß Lenz sich absondere. »Es ist nur, daß ich diesmal nicht mitgehe, das ist alles.« Er müsse seinen Standpunkt erläutern, schon etwas mehr sagen, so könne er das den anderen nicht vermitteln. »Vermitteln, vermitteln«, rief Lenz, »ich träume zu schlecht.« Dieter wurde wütend, Lenz solle sich erklären, seine Kritik wenigstens äußern, Lenz wollte nicht darauf eingehen.

Am nächsten Morgen klingelte Lenz bei einem Mädchen, das er einige Tage zuvor auf einem Fest kennengelernt hatte. Er wußte von ihr nur, wie sie sich beim Tanzen bewegte und daß sie Marina hieß. Als sie die Tür aufmachte, war sie erstaunt, daß Lenz davor stand. Lenz fragte, ob er einen Tee bei ihr trinken könne. Sie war ziemlich verwirrt, sie lehnte nicht ab. Sie ging sofort in die Küche und setzte das Wasser auf. Während sie sich in der Küche zu schaffen machte, spürte Lenz, wie die Luft im Zimmer zentnerschwer wurde. Er machte das Fenster auf und schaute sich die fetten grünen Blätter an den Bäumen an, dann suchte er nach einem Möbelstück, auf das er die Beine legen könnte. Marina stellte den Tee auf den Tisch und setzte sich Lenz gegenüber. Weil ihm nichts einfiel, was er sagen könnte, griff er gleich nach der Teekanne. Sie nahm ihm die Kanne wieder weg, der Tee müsse erst ziehen. Wie Lenz auf die Idee gekommen wäre, sie zu besuchen. Lenz gab zur Antwort, die Idee wäre ihm heute morgen gekommen, gleich nach dem Aufstehen. Er habe sie einmal besuchen, mit ihr reden wollen und so fort. Er vermied es gerade noch, sie nach einem Buch zu fragen, von dem sie auf dem Fest gesprochen hatte und das ihm im Moment völlig gleichgültig war.

Sie stellte dann das übliche Verhör mit ihm an, was er mache, in welcher Gruppe er arbeite, was er von den anderen Gruppen hielte, in denen er nicht arbeite. Bei irgendeinem Satz über das Verhältnis von politischer Arbeit und persönlichen Schwierigkeiten fiel Lenz ein, daß er genau denselben Satz schon vor ein paar Tagen gesagt hatte, ohne daß er damit je auf Widerspruch gestoßen war. Er unterbrach sich, er rede lauter Blabla, lauter braves, vorgekautes Zeug. Er habe Lust auf sie, genau deswegen sei er gekommen. Er ging zu ihr hin und faßte sie an. Sie kenne ihn noch gar nicht, sagte sie. Durch diese Fragen und Antworten lernt man sich nicht kennen, erwiderte Lenz. Es gibt nur ein paar Arten, sich kennenzulernen, wenn man miteinander arbeitet, wenn man zusammen spinnt, wenn man sich anfaßt. Sie wehrte sich erst, dann nicht mehr. Es störte Lenz, daß jetzt alles so schnell ging. Sie rissen sich die Kleider vom Leib, ohne recht hinzuschauen. Es war dann sehr schön, es gibt nichts weiter dazu zu sagen. Später, als sie nebeneinander lagen, tat Lenz ihre Zärtlichkeit körperlich weh. »Erzähl mir, was du machst«, sagte er.

An einem anderen Tag stellte sich Lenz im Büro einer großen Elektrofirma vor. Vor dem Zimmer des Personalchefs warteten mehrere Männer, die Lenz mißtrauisch ansahen. Lenz unterschied griechische und türkische Satzfetzen. Griechisch hatte er einmal in den Ferien gelernt, er verstand ein paar Wörter. Einer der Wartenden erzählte, daß er schon zum dritten Mal herkomme und nun schon seit zwei Stunden warte. Wenn er keine Arbeit finde, werde er aus dem Wohnheim geworfen. Lenz verstand nicht genau, was er über die Miete sagte, die er bezahlte. Der Personalchef öffnete die Tür und warf einen kurzen Blick auf die Wartenden. Er bat Lenz hereinzukommen. Lenz zögerte, die anderen blickten ihn an, als hätte er sich mit dem Personalchef gegen sie verschworen. Der Personalchef wiederholte seine Aufforderung. Lenz gehorchte, um nicht aufzufallen, merkte dann, daß er damit nur dem Personalchef nicht auffiel. Der bot Lenz eine Stelle an einer automatischen Rechenmaschine an. Lenz lehnte ab, er wolle lieber am Band arbeiten. Der Personalchef machte ihn darauf aufmerksam, daß er dann wesentlich weniger verdienen würde. Außerdem sei es nicht üblich, daß Männer am Band arbeiten. Allenfalls käme eine Arbeit im Einzelakkord in Betracht. Seiner Frage, welchen Beruf Lenz denn vorher ausgeübt habe, er sähe doch, daß er in ihm einen intelligenten Menschen vor sich habe, wich Lenz aus. Er bestand darauf, als Hilfsarbeiter eingestellt zu werden. Der Personalchef händigte ihm einen Vertrag aus, den Lenz soweit wie möglich falsch ausfüllte. Lenz wurde für 4,20 DM pro Stunde eingestellt.
Beim Hinausgehen wurde Lenz von einem türkischen Arbeiter angesprochen, der ihn nach dem Ergebnis seiner Verhandlung mit dem Personalchef fragte. Der Türke erzählte ihm, wie er in einem Zug, in dem nicht einmal Platz zum Sitzen war, drei

Tage lang nach Deutschland gefahren war. Vorher, bei der Untersuchung durch die deutschen Ärzte, hatte er einen Arm, den er sich gerade gebrochen hatte, bewegt, als sei er gesund. »Du hast dich gesund gestellt, um arbeiten zu können?«, fragte Lenz. Er mußte sich gegen den Gedanken wehren, daß er dem Türken den Arbeitsplatz weggenommen hatte. Der Türke erzählte dann von einem kleinen Unfall, den er mit dem Auto eines Freundes gehabt hatte. Bei der Blutprobe wurde ein zu hoher Alkoholspiegel festgestellt. Er wurde zu zwei Monaten Gefängnis verurteilt. Da er so seinen Arbeitsplatz verlor, erlosch seine Aufenthaltsgenehmigung, und er mußte fürchten, in die Türkei abgeschoben zu werden. Seit einer Woche bemühe er sich vergeblich um Arbeit. Die Personalchefs verlangten alle eine genaue Rechenschaft darüber, was er in der Zeit, die er in Deutschland sei, gemacht habe. Lenz gelang es kaum zuzuhören. Am meisten achtete er auf die Augen des Türken und auf seine kraftvollen, boxerhaften Armbewegungen. Er hatte den heftigen Wunsch, die Welt durch seine Augen zu sehen. Für einen Augenblick war es ihm, als müßte er ihm um den Hals fallen, ihn sich zum Freund machen. Lenz ließ sich von dem Türken in dessen Zimmer mitnehmen. Sie setzten sich auf das Bett und fingen sofort an zu trinken. Ein zweites ungemachtes Bett stand leer. Sein Kollege sei auf Arbeit, erklärte der Türke, wenn er zurückkomme, werde er ihn mit einem Essen empfangen. Ob Lenz kochen könne. Später nahm Lenz die Gitarre, die an der Wand hing, und griff ein Lied, zu dem er die Worte vergessen hatte. Der Türke fragte, was für ein Lied er da spiele. Lenz erwiderte, es sei ein Lied über einen Mann, der zum ersten Mal nach Amerika kommt und denkt, das sprengt ihm den Kopf auseinander. Lenz verabschiedete sich hastig, er versprach wiederzukommen.

Mitten in der Nacht wachte Lenz auf. Er hatte das Gefühl, nicht allein im Zimmer zu sein. Ihm war, als läge L. neben ihm und beugte sich mit ihren Haaren über sein Gesicht. Als er ihre Berührung zu spüren glaubte, machte er Licht. Er machte sich klar, daß er seit drei Monaten allein wohnte. Dann schien es ihm wieder ganz unglaublich, allein in diesem Zimmer zu schlafen. Er meinte, L.s Geruch im Zimmer zu spüren. Sein Glied stand groß und lästig unter der Bettdecke. Er begann es zu streicheln, ließ aber davon ab, als er merkte, daß sich alle seine Phantasien auf weit zurückliegende Erlebnisse bezogen. Er fühlte eine unangenehme Kraft in sich hochsteigen, die seinen Körper starr machte. Er schlug mit dem Kopf und den Fäusten gegen die Wand. Gleichzeitig erschien es ihm blödsinnig, wie er sich benahm. Er wollte sich mit Gewalt von den Bildern befreien. Er begann zu brüllen, merkte dann, daß er es sich nur vorstellte.

Er kleidete sich an und ging aus dem Haus. Es wurde gerade hell, in dem Licht sah die Stadt aus, als ob sie gerade aus dem Meer aufgetaucht wäre. Die Straßen waren leer und glatt, wie von blauem Eis überzogen, ein paar Zeitungsblätter lagen regungslos in den Rinnsteinen, wenige Autos standen da, totes Ungeziefer, das von den Wänden gefallen ist. Als Lenz die Häuserwände hinaufschaute, bewegte sich nichts, kein Vorhang wurde zurückgezogen, kein Fenster geöffnet, nirgends ein Licht. Anfangs lief er mit großen schweren Schritten, seine Glieder zogen an ihm, es war, als hätte er Blei in den Fingern und Zehen. Dann fing er an zu rennen, erst langsam mit gleichmäßigem Atem, dann schneller, in einem Hauseingang löste sich ein Paar erschreckt aus einer Umarmung, der Mann sprang auf die Straße und schaute nach, ob er vielleicht einem Verfolger behilflich sein könnte. Lenz rannte, ein Zeitungsblatt verfing sich an seinem Schuh und flog zerfetzt auf die Straße, die Häuserwände und Schaufenster sprangen vor ihm zurück. Einmal, als er die Straße hinaufschaute, war ihm, als sei dort die Stadt zuende, als öffnete sich dahinter eine unbekannte Landschaft, aber er konnte nicht mehr, er blieb keuchend stehen. Irgendwo ein Wecker, Fenster wurden geöffnet, Radiomusik kam heraus, in einem Hinterhof wurde ein Motor angelassen. Als Lenz zurückging, war die Angst weg, er fühlte sich leicht.

Am Morgen um halb sieben begann Lenz mit der Arbeit in der Fabrik. Der Meister zeigte ihm seinen Arbeitsplatz und erklärte ihm kurz, was er zu tun hätte. Er begrüßte Lenz freundlich, als würde er ihn schon kennen. Er hatte nur drei Haare auf dem Kopf, die er sich ständig aus der Stirn strich. Lenz' Aufgabe bestand darin, elektrische Röhren zusammenzuschweißen. Als der Meister ihn allein gelassen hatte, beobachtete Lenz seine Nachbarin, um seine Arbeit schneller zu lernen. Die Frau neben ihm breitete beide Arme aus wie im Flug, zog sie ein und nahm beim Einwinkeln der Arme, als würde sie es nur zufällig berühren, das zu schweißende Material in beide Hände, wippte, während sie es aufnahm, mit dem Körper nach vorn, um drei- viermal auf das Fußpedal zu treten – das erste Teil war angeschweißt. Dann wieder Ausbreiten der Arme, Schwungholen, der gleiche Ablauf, bis der zweite Schweißvorgang beendet war. Dann die fertig geschweißten Röhren in den Raster stecken und von vorn beginnen. Am Anfang stürzte sich Lenz auf die Teile und nahm sie so schnell auf wie er nur konnte. Dann merkte er, daß er so eher langsamer arbeitete, als wenn er die Bewegungen gliederte und einen bestimmten Rhythmus einhielt. Das Tempo hing vollkommen von der Maschine ab, seine Aufgabe bestand nur darin, seinen Körper in denselben Rhythmus zu bringen. Je weniger er sich gegen den vorgegebenen Rhythmus der Maschine wehrte, desto schneller füllte sich das Raster mit fertigen Röhren. Als er anfing, den Arbeitsvorgang zu beherrschen, genoß er es, eine Zeitlang jeden Augenblick zu spüren, der verstrich.

Aus den Augenwinkeln sah er neben seinen Ellbogen das rhythmische Auf und Ab der Arme an den benachbarten Maschinen, er hörte die kurzen telegrammartigen Botschaften, die zwischen den Maschinen hin und herflogen, es waren knappe genaue Mitteilungen über das Mittagessen, den Friseur, den Einkauf, die Kinder. Alle Bewegungen und Geräusche fügten sich in eine Grundbewegung und ein Grundgeräusch ein, das die ganze Halle beherrschte und dessen Zwecke Lenz gleichgültig waren. Er spürte keinen Zwang, irgendetwas, das er jetzt wahrnahm, mit etwas anderem, das er früher wahrgenommen hatte, zu vergleichen. Er hatte nur einen unwiderstehlichen Drang nach Verzögerung. Er hätte die ganze Welt mit einem Hebelgriff an der Maschine anhalten mögen, nur um zuzusehen, wie sie sich wieder in Gang setzte. Nach acht Stunden, als das Klingelzeichen ertönte, ging er müde und zufrieden nachhause.

An einem anderen Tag auf dem Nachhauseweg traf Lenz seinen Freund Walter. Sie hatten sich mehrere Jahre nicht mehr gesehen. Sie umarmten sich und gingen eine Weile ziellos durch die Straßen. »Ich hab dein Gesicht ganz vergessen«, sagte Lenz, »wie siehst du überhaupt aus?« Walter hielt es für eine Redensart, er drehte den Kopf zur Seite. Er habe ein Jahr in Spanien gelebt, er habe sich ein Stück Land gekauft und ein Pferd. Er wurde verlegen. Ein Pferd? Mitten zwischen den Autos kam es Lenz ziemlich verrückt vor, daß Walter ein Jahr lang auf einem Pferd durch die Gegend geritten war. Er komme jetzt nicht aus Spanien, sagte Walter dann, sondern aus einer Nervenklinik in Hannover. Aus Spanien sei er abgeschoben worden, weil er den General Franco in einem Cafe einen Faschisten und Mörder genannt hatte. Er habe sich mit dem Kellner gestritten, und als der mit der Polizei drohte, sei es mit ihm durchgegangen. Es sei ziemlicher Schwachsinn von ihm gewesen.
Lenz wollte wissen, wie er in die Nervenklinik geraten sei. Es fiel ihm schon wieder schwer zuzuhören. Er sah auf die Schuhe von Walter, vom linken Schuh hing die Sohle herab und schlappte, bevor er den Fuß aufsetzte, auf den Gehsteig. Während Walter mit gesenktem Kopf neben ihm herging, sah Lenz ihn durch Hannover rennen. Walter war während der Fahrt das Geld ausgegangen. Er hatte zuerst versucht, Autos anzuhalten, um zu seiner Familie nach Süddeutschland zu fahren. Dann war er in die Stadt zurückgelaufen und hatte um eine Mark gebettelt. Er wollte Freunde anrufen, die ihm Geld schicken sollten. Die Leute, die er fragte, sagten immer wieder

denselben Satz: daß heutzutage niemand mehr zu betteln braucht.

Er hatte dann nur noch Zigaretten und in einem Zigaretten-geschäft nach Feuer gefragt. Der Verkäufer weigerte sich, den Dauerbrenner anzuzünden, er bot Walter eine Schachtel Streichhölzer für fünf Pfennig an. »Sie werden mir doch noch Feuer geben«, hat Walter gesagt. Der Verkäufer hat ihm ge-antwortet, er soll fünf Pfennig bezahlen, wie jeder andere auch. »Aber ich brauche das Feuer jetzt, für diese Zigarette, und ich habe jetzt keine fünf Pfennig.« »Das gibt es nicht«, hat der Verkäufer geantwortet, »daß jemand keine fünf Pfennig hat«, er soll das Geschäft verlassen. Er ist dann stun-denlang durch die Straßen gelaufen, es ist alles zu lächerlich, man kann es kaum erzählen, er hätte ja jemand anders fragen können, aber er ist schon zu müde und hungrig gewesen, um damit fertig zu werden, daß jemand sich aus Prinzip weigert, ihm Feuer zu geben. Es ist dann dunkel geworden, er hat eine Tür eingeschlagen, um in einem Hauseingang zu schlafen, ein Nachbar hat die Polizei verständigt, ein Funkwagen ist ge-kommen, in seinem überreizten Zustand hat er die Scheinwer-fer des Autos für Suchscheinwerfer gehalten, er hat versucht, sie mit Steinen zu zertrümmern, die Polizisten haben ihn an Armen und Beinen festgehalten und auf ihn eingeschlagen. Sie haben ihn gefesselt auf die Wache gebracht und wegen tät-lichen Widerstands angezeigt. Von dort ist er dann in eine geschlossene Abteilung der Nervenklinik gebracht worden, aus der er erst nach sechs Wochen wieder herauskam.

»Laß uns ein Paar Schuhe kaufen«, sagte Lenz. »Ich brauche Schuhe und du auch.« Walter fiel ein, daß er ein Loch in der Socke hatte. Sie klauten in einem Kaufhaus ein paar Socken, dann gingen sie in ein Schuhgeschäft und ließen sich ein Dut-zend Schuhe zeigen. Walter konnte nicht sagen, welche ihm gefielen und welche nicht, er fand alle gleich schön. »Was für Schuhe stellst du dir denn vor?«, fragte Lenz, »was für Schuhe wünschen Sie denn nun?«, fragte die Verkäuferin. Lenz for-derte sie auf, einen anderen Kunden zu bedienen. Es gelang Walter nicht, die Schuhe zu beschreiben, die er sich vorstellte,

weder die Farbe noch die Höhe, noch die Art des Leders. Lenz
bat Walter um seine Jacke und gab ihm seinen Mantel. So
liefen sie, jeder in dem Kleidungsstück des anderen, auf Socken
in dem Schuhgeschäft herum und schauten den Kunden beim
Anprobieren zu. Lenz fragte Walter, welche Schuhe seiner
Meinung nach am besten zu dem Mantel passen würden, den
er jetzt anhatte. Walter wählte ein Paar halbhohe Stiefel aus
weichem Leder, das irgendwie gebraucht wirkte, mit solchen
aufgenähten runden Lederflecken an den Seiten wie bei Trai-
ningsschuhen. Sie kauften die Schuhe, Lenz forderte seinen
Mantel zurück. Was er mit den Schuhen anfangen solle, ohne
den Mantel, fragte Walter. »Sie passen nicht zu dem Mantel,
sondern zu dir«, sagte Lenz. Sie verabredeten sich für einen
anderen Tag.

An einem Wochenende hatte Lenz Zeit, einen Brief zuende-
zuschreiben, den er an einem der ersten Arbeitstage auf dem
Betriebsklo angefangen hatte. Der ständige Druck der Maschine
hatte seinen Körper zusammengepreßt wie einen nassen
Schwamm. Der Gedanke an L. erregte ihn so, daß er meinte,
sein Körper müßte explodieren. Er war während der Arbeit
mehrmals aufs Klo gegangen, um sich mitten zwischen dem
Drücken, Pfeifen, Furzen aus den Nachbarkabinen zu erleich-
tern. Er war empört darüber, allein mit seiner Erregung zu
sein. Am liebsten hätte er die Zwischenwände, die ihn von
seinen Nachbarn trennten, eingerissen, um sie wenigstens zu
einer gemeinsamen Nummer zu veranlassen.
»Habe ich dir überhaupt schon mal eine Liebeserklärung gemacht? Dazu bin ich vor lauter Hin und Her nicht gekommen.
Es ist so, daß ich die ganze Zeit deinen Geruch in der Nase
habe. Jedesmal wenn eine Frau an mir vorbeigeht, muß ich
erst genau hinschauen, bevor ich merke, daß du schließlich ganz
anders gehst. Jeden Pullover, der mir entgegenkommt, prüfe
ich darauf, ob er dieselben Falten wirft wie bei dir. Ich habe
das satt, fühle mich wie ein Spinner, dogmatisch verhärtet. Es
ist schon soweit gekommen, daß ich nichts mehr sehe, ohne es

in irgendeine Beziehung zu dir zu bringen, überall erkenne ich dich wieder, stelle mir vor, was du dazu sagen würdest. Ich rufe schon nur noch Männer an, damit ich so eine Frauenstimme am Telefon nicht mit deiner verwechsle. Ich wußte nicht, wie grauenhaft es ist, jemanden so zu begehren. Ich rede jetzt nicht vom Vögeln, ich glaube, es sind deine Zärtlichkeiten, für die ich nicht stark genug bin. Wüßte ich nur, was mir dabei diese Angst macht. Vielleicht liegt es daran, daß ich in diesen vernünftigen Gesprächen mit meinen Freunden nichts von dem wiederfinden kann, was mich jetzt von dir so abhängig macht. Es faßt einen ja keiner an, ohne daß es gleich sonstwas bedeutet, wir haben das nie geübt. Neulich wurden mir die Knie weich, nur weil mir ein Mann, den ich nicht näher kannte, einfach so den Arm um die Schulter legte. Verstehst du, da muß ich ja Holzfäller werden, um auf deine Berührungen vorbereitet zu sein und hinterher wieder Grund unter den Füßen zu finden...«

Zuerst war er ganz einverstanden mit seinem Brief. Aber dann fiel ihm ein, daß es Ernst war, daß L. wirklich nichts mehr von ihm hören wollte. Vielleicht hatte er seine Empfindung zum ersten Mal dargestellt, aber wie war das mit L.s Empfindungen? Die kamen in seinem Brief überhaupt nicht vor. Jetzt fielen ihm tausend Sätze ein, in denen L. klarstellte, was sie von ihm erwartete. Er las den Brief noch einmal durch und legte ihn dann zu den anderen nicht abgeschickten Briefen.

Der Gedanke, daß er sich nicht würde mitteilen können, trieb ihn aus dem Haus. Es hatte geregnet, mitten in eine Schwüle hinein, die Nässe machte die Häuser kleiner, die Bürgersteige rückten näher zusammen. Einmal sah er das Gesicht eines Vorübergehenden mit so großer Deutlichkeit, daß es ihm die Tränen in die Augen trieb. Erzähl mir deine Geschichte, ich häng dich nicht auf. In der Dämmerung setzte Lenz sich an das Ufer eines Kanals. Die Büsche warfen lange Schatten in das Wasser, und Lenz sah zu, wie in dem dunklen unbewegten Spiegel, eins nach dem anderen, die Lichter der Laternen und Häuser aufleuchteten. Ein Lastkahn lag an der Mauer, Lenz war, als müsse der frieren. Er warf öfter Steine in das Wasser und wartete dann, bis die Häuser aufhörten zu wanken. Als er aufschaute, konnte er die Grenze zwischen Dächern und Himmel nicht mehr erkennen. Soweit er schauen konnte nichts als gewaltige Klötze, über ihm diese fahle Lichtglocke im Himmel, und alles so kalt, so steinern. Es wurde ihm entsetzlich einsam, er war allein, er wollte mit sich sprechen, er konnte nicht, er wagte kaum zu atmen.

Er riß sich hoch und ging in eine Kneipe in der Nähe. Einige Gäste saßen im Freien auf feuchten Gartenstühlen, Lenz war es noch im Mantel zu kalt, er ging hinein. Drinnen gelbes verrauchtes Licht, ein Musikautomat, die alten Lieder, die alten Plakate, die alten Gespräche. Lenz sah nur Fratzen. Am Tresen bestellte er einen doppelten Korn. Jemand neben ihm behauptete, ihn schon einmal gesehen zu haben. »Und wenn schon«, sagte Lenz, »was folgt denn daraus?«

Er wandte sich ab, er mochte nicht sprechen. Da er sich ablenken wollte, sah er zu, wie die hereinkommenden Leute den Raum betraten. Einer kam herein, beide Hände in den hinteren Hosentaschen. Er schaute sich wie versehentlich nach links und rechts um, in der Erwartung, von jemand angerufen zu werden. Da ihn niemand anrief, ging er bis zum hinteren Ende des Raumes, sah sich dort gründlicher um an den Tischen, an denen er sowieso niemand vermutete, drehte sich dann brüsk um und ging voller Verachtung zur Tür hinaus. Ein anderer betrat den Raum mit einem »Hallo«, das gleich von einem der ersten Tische erwidert wurde, er lächelte verheißungsvoll, ging aber weiter, um wieder »Hallo« zu rufen, richtete an jemand die Frage, ob er Charlie gesehen habe, ging, ohne sich für die Antwort zu interessieren, weiter, kehrte dann wieder um und setzte sich an den ersten Tisch. Wieder ein anderer betrat den Raum, ohne nach links und rechts zu schauen, er ging zielsicher auf den Musikautomaten zu, drückte zwei Nummern, hörte die ersten drei Takte, warf einen langen

Blick auf die Leute an den Tischen, drehte sich plötzlich um und verließ den Raum.

Jemand legte die Hand auf Lenz' Schulter, es war das Mädchen, bei dem er kürzlich gewesen war. Es war Lenz unangenehm, sie hier zu finden, er fühlte sich ertappt. Er sah sie an, ihr Name fiel ihm nicht ein. Aber ihre Freude, ihn zu treffen, steckte ihn an. Sie setzten sich zusammen an einen Tisch. Sie tranken, Lenz kam ins Reden, plötzlich war er bei seiner Geschichte mit L. Er sprach rasch, als müsse er etwas einholen, nach und nach wurde er ruhiger. Er hielt inne, es war einen Augenblick, als würde ihm ein Splitter aus dem Auge gezogen: »Sie versteckt sich hinter ihrer Schwäche, hinter ihrer Verletzbarkeit. Wenn ich sie angriff, weil sie an allen meinen Freunden etwas auszusetzen hatte, weil sie bei jedem andere Gründe erfand, warum ich ihn nicht treffen sollte, wurde sie krank. Ich habe sie nie kritisieren können, ohne daß sie mich durch irgendeine körperliche Reaktion dafür bestrafte, ohne daß sie mich zum Metzger machte. Dann war ich schuld, daß sie fast unter ein Auto gekommen wäre, daß sie plötzlich den Arm nicht mehr heben konnte, daß sich ihr Hals entzündete. Als ich einmal sagte, sie würde mich lieber umbringen, als mich an sich und ihre Schwäche heranzulassen, verführte sie mich, um mich zum Schweigen zu bringen. Und es gelang ihr auch. Und jetzt, während ich darüber spreche, habe ich schon wieder das Gefühl, ein Verräter zu sein.«

Jemand hatte ein Lied von Eric Burdon gedrückt. Das Lied hatte einen heftigen Rhythmus und ging Lenz in den Körper. Zum ersten Mal verstand er den Text, er wunderte sich, warum er noch nie hingehört hatte, und übersetzte Marina was er verstand:

Mein Hauptmann sagt zu mir
Los spring ins Wasser
Und das Wasser war kalt
Und das Wetter war Winter
Und dann ein Seemann
Wirklich nett der sagt mir

Am besten du nimmst es
Einfach nicht so wichtig
Und ich nahms nicht so wichtig
Doch der Hauptmann schreit Faulpelz . . .

Marina sagte zu Lenz, daß sie ihn diesen Abend viel lieber
mochte als das letzte Mal. Sie habe sich überfallen gefühlt.
»Vielleicht ist es so«, sagte Lenz, ohne ihr zu antworten, »man
liebt das Gefühl, das man für jemanden hat, den man liebt,
genauso wie den, der es ausgelöst hat. Unter dem Verlust dieses Gefühls leide ich vielleicht mehr als unter dem Verlust von
L.«
Marina stand auf, um Zigaretten zu holen. Am Tisch nebenan
erkannte Lenz einen Bekannten. Er saß dort mit seiner Frau,
mit der er seit drei Jahren in dauernder Trennung zusammen-
lebte. Lenz grüßte gerade hinüber, da stand die Frau auf und
ging wortlos hinaus. Einen Augenblick hatte Lenz das Gefühl,
es wäre seine Schuld. Der Bekannte wurde totenblaß, er
schaute Lenz sprachlos an und ging ihr nach. Nach einer Weile
kam er allein wieder herein und bestellte einen Korn. Lenz
stand auf und ging mit Marina hinaus. Sie standen dann, aneinander gelehnt, auf der Straße und warteten auf ein Taxi.
Vor ihrer Haustür trennten sie sich.

Am anderen Morgen in der Fabrik fühlte sich Lenz von
allen beobachtet. Er schaute an sich herunter, ob irgendetwas
an ihm nicht in Ordnung wäre. Er fand nichts. Eine Frau,
die mit einer Kollegin an seinem Arbeitsplatz vorbeiging,
streifte mit dem Arm leicht seinen Hals. Die beiden Frauen
stießen sich mit den Ellbogen an und lachten, Lenz glaubte,
seinen Namen zu hören. Am anderen Ende des Ganges sah er
den Meister mit den Händen in den Taschen seines weißen
Mantels stehen. Lenz hatte den Eindruck, daß er ihn fort-
während ansah, er versuchte, schneller zu arbeiten. An einem
der Tische vorne am Eingang der Halle klingelte das Telefon.
Lenz mußte sich zurückhalten, um nicht aufzustehen und den

Hörer abzuheben. Die beiden Frauen kamen mit Papierbechern in der Hand zurück, die eine von beiden schoß ihm einen spöttischen Blick zu. Ein junger Facharbeiter, den Lenz seit ein paar Tagen kannte, stieß ihm seine Faust in den Rücken: »Du arbeitest ja wie ein Weltmeister«, sagte er im Vorbeigehen. Lenz war unsicher, ob er sich rechtfertigen solle. Jetzt sah Lenz wieder den Meister, wie er seine beiden fetten Hände auf die nackten Arme einer Arbeiterin legte, um ihr mit anspielungsreichem Lächeln irgendeine Anweisung zu geben.

Lenz spürte, wie ein neuer, unbekannter Haß in ihm hochstieg. Er schaute den Gang hinauf und hinunter, er sah die Arme und Beine der Frauen wie von unsichtbaren Fäden gezogen, darüber ihre starren, angespannten Gesichter, dann wieder den Meister, der sich umgedreht hatte und gerade einen anderen Weißkittel begrüßte. Der Weißkittel stellte sich neben eine der Frauen mit der Uhr in der Hand und maß die Zeit. Er forderte sie auf, aufzustehen, und machte ihr vor, wie sie eine Bewegung schneller ausführen könnte. Die Frau befolgte seine Anweisung, der Weißkittel schien noch nicht zufrieden. Die anderen Frauen taten, als würden sie ihn nicht bemerken, aber sie arbeiteten schneller. Die Geräusche in der Halle kamen Lenz jetzt unerträglich laut und gewalttätig vor, er glaubte zu hören, wie sich ihr Tempo ständig steigerte. Aus den Gesprächsfetzen, die er aufschnappte, hörte er nur noch Anklagen heraus. Eine Frau sprach von ihrer chronischen Sehnenscheidenentzündung, eine andere beklagte sich über Rückenschmerzen, eine dritte hatte vor ein paar Tagen an der Maschine einen Schwindelanfall erlitten. In der Pause mischte sich Lenz in die Gespräche der Frauen ein.

Er erkundigte sich nach der Steigerung der Stückzahlen innerhalb der letzten Monate und fragte nach der entsprechenden Steigerung der Löhne. Durch seine Fragen zwang er die Frauen, die Gründe für die Rückenschmerzen und das Reißen in der Schulter zu nennen. Indem er, was sie sagten, noch einmal vor sie hinstellte, kam es ihnen ungewöhnlich vor. Die Frauen sahen ihn neugierig an, sie wollten wissen, wer er sei, was er vorher gemacht habe, wie lange er bleibe. Lenz stockte. Ein

Student, der ebenfalls im Betrieb arbeitete, hatte in der gleichen Situation angegeben, er sei Uhrmacher. Er hoffte so, das Vertrauen seiner Kollegen zu gewinnen. Der Erfolg war, daß die Kollegen ihm einer nach dem anderen ihre kaputten Uhren von zuhause mitbrachten und er viele Nächte damit zubrachte, das Uhrmacherhandwerk zu erlernen. Er sei Student, erwiderte Lenz, er arbeite hier, um die Lage der Arbeiter kennenzulernen. Man sah ihn an, was er sagte, leuchtete den Frauen ein, das solle sich jeder ruhig einmal ansehen. Aber als er dann weitersprach, hörte man ihm nur noch geduldig zu, ohne ihn zu unterbrechen. Er war heftig geworden über dem Reden, alles fügte sich lückenlos ineinander, es gelang ihm, die Bedrükkungen der Frauen aus einem Punkt herzuleiten, er machte Vorschläge, was zu unternehmen sei, er hatte sich ganz vergessen. Ihm war, als könne er was gut machen, eine unbekannte Schuld abtragen. Er sah die Blicke nicht, mit denen sie ihn betrachteten.

An einem Nachmittag nach der Arbeit wurde Lenz von Marina abgeholt. Lenz freute sich, daß er plötzlich zu denen gehörte, die draußen erwartet wurden. Sie hatte zwei Flaschen Wein gekauft, mit dem Auto fuhren sie aus der Stadt hinaus. Sie hielten vor einer Brücke und gingen einen schmalen Weg zwischen den Büschen hindurch an einem Kanal entlang. Es war noch heiß, die Luft flimmerte über dem Wasser, der Geruch der Brennesseln, die fetten klebrigen Blätter an den Büschen, alles kam Lenz so übertrieben, so aufdringlich vor. Er schaute sich um. Hinter ihnen ein paar Schlote, die in der heißen Luft zitterten, am anderen Ufer die Wachttürme und Drahtzäune, weiter weg ein paar Häuser, die unbewohnt aussahen. Er mochte nicht weiter.
Das Mädchen zog ihn in ein Kornfeld, die Halme ragten ihnen über die Köpfe. Sie zog ihn aus und machte aus seinen Sachen ein Lager. Wie sie auf der Erde lagen, faßte es Lenz wie ein Schwindel, unter ihm stach und regte es sich, der Geruch der Erde war ihm fremd und widerlich, und hoch über ihm

diese lächerlichen Halme, die tatsächlich raschelten wie ein Kornfeld. Er wollte weg, zurück zum Auto, unter Menschen, Asphalt unter den Füßen spüren. Er kam sich so schulbubenhaft vor, er hatte das Gefühl, die Feldstecher in den Wachttürmen seien auf sie gerichtet. Als sie ihn dann erregte, vergaß er die Angst, er wurde ruhig. Sie erzählte ihm dann von Griechenland, wo sie gelebt hatte, von dem Licht dort, sie beschrieb ihm den Weg, der von ihrem Haus zum Meer führte, die steinige Landschaft. Lenz konnte zuhören, alte vergessene Wünsche wurden in ihm wach. Als sie in die Stadt zurückfuhren, hätte er den Asphalt aufreißen mögen. Er sprach davon, Karate zu lernen.

An einem anderen Tag, auf dem Nachhauseweg, bemerkte Lenz eine Menschenansammlung vor der griechischen Botschaft. Jemand aus der Menge rief ihn an und drückte ihm ein Flugblatt in die Hand. Die Demonstration richtete sich gegen die Diktatur in Griechenland und gegen die Ausweisung von vierzig griechischen Arbeitern, die wegen einer Lohnkürzung in den Streik getreten und daraufhin fristlos gekündigt worden waren. Lenz mischte sich unter die anderen und drängte mit ihnen gegen die spanischen Reiter an, mit denen die Polizei gerade die Botschaft abriegelte. Die Polizisten standen, von Rauchkerzen umnebelt, vor den Gittern und warteten auf den Befehl zum Knüppeleinsatz.
Jemand flüsterte Lenz zu, er solle sich zu einer Gruppe am hinteren Ende des Zuges begeben und andere auffordern, das gleiche zu tun. Die Demonstranten sollten unvermutet zum nahe gelegenen Amerikahaus stürmen, bevor die Polizei dort sein konnte. Sie bildeten eine Gruppe von etwa sechzig Leuten. Auf ein verabredetes Zeichen rannten sie los, so schnell sie konnten. Die plötzliche Bewegung am hinteren Ende der Ansammlung erzeugte eine Art Sog, die meisten drehten sich um und rannten mit. Ehe die Polizisten, die verdutzt und schwitzend unter ihren Helmen hervorschauten, begriffen, was los

war, rannten hunderte von Demonstranten über den leeren Parkplatz zum Amerikahaus. Es dauerte ziemlich lange, bis sich die Polizisten entschlossen, hinterherzulaufen oder sich in ihre Mannschaftswagen zu setzen. Als Lenz zurückschaute, erinnerte ihn der Anblick der Verfolger, die in ihren steifen Uniformen mit gezogenen Knüppeln hinterherrannten, an eine hoffnungslos zurückgefallene Hundert-Meter-Staffel.

Auf dem Weg lagen Pflastersteine, sorgsam zu Häufchen zusammengelegt, die erst einige, dann immer mehr, im Vorbeirennen auflasen, und dann patschten auch schon die ersten Fensterscheiben, erst zwei, drei, dann immer mehr, es war ein kurzer, massenhafter Festakt des Landfriedensbruchs. Als die ersten Blauwagen um die Ecke bogen, war keine Fensterscheibe mehr ganz und weit und breit kein Mensch mehr zu sehen.

Wenig später traf Lenz einen sehr jungen Bekannten, der ihm mit strahlenden Augen erzählte, er habe diesmal zum ersten Mal bei einer Demonstration einen Stein geworfen. Er beschrieb ihm genau, wie er mit dem Stein in der Hand vor dem Amerikahaus stand, den Arm erst so locker hin und her schlenkerte, als wäre kein Stein darin, den Stein beim Anblick eines Passanten erschrocken fallen ließ, wie er ihn dann mit einer heftigen Wut, er wußte nicht, ob es die Wut über seine Unentschlossenheit oder über die Amerikaner war, wieder aufhob und in die Fensterscheibe schleuderte. Hinterher habe er sich so frei gefühlt wie noch nie, er könne gar nicht beschreiben, was für ein Gefühl das sei.

Lenz erinnerte sich daran, daß es ihm ganz ähnlich ging, als er seinen ersten Stein geworfen hatte. Er versuchte dann, ihm zu erklären, daß die Zeit für diese Art Demonstrationen vorbei sei, die Demonstrationen müßten Ausdruck einer viel breiteren und langfristigeren Arbeit werden, und dem entsprechend würden sich ihre Mittel ändern, es hinge durchaus von der politischen Situation ab, ob es politisch interessant und nützlich sei, seine persönliche Angst vor der Anwendung von Gewalt zu überwinden. »Ach was, ich habe es aus Wut getan, und diese Wut habe ich heute«, sagte sein Bekannter. Lenz fühlte sich als Spielverderber, er fragte sich, ob er wirklich um eine Erkenntnis reicher oder nur um diese Wut ärmer geworden sei.

Beim Einkaufen traf Lenz einen Schriftsteller, der früher einmal sein Gönner gewesen war. In seinem Gesicht bemerkte Lenz so eine Trauer, wie sie Leute auszeichnet, deren sämtliche Wünsche in Erfüllung gegangen sind, und die sich nun erstaunt fragen, was sie auf dieser Welt, die ihnen schon zur Nachwelt geworden ist, überhaupt noch auszurichten haben. Lenz begleitete den früheren Gönner auf dem Nachhauseweg und wurde von ihm sofort in ein Gespräch verwickelt. Den Argumenten des Gönners merkte Lenz an, daß sie alle schon irgendwo veröffentlicht waren.

Ob nun auch Lenz zur Vernunft gekommen sei. Die Studentenbewegung sei wichtig und fruchtbar gewesen, die Gesellschaft verdanke ihr wichtige Anregungen. Aber nun hätten andere gesellschaftliche Gruppen die besten Initiativen der Studenten übernommen, während diese immer noch glaubten, daß sich die ganze Welt um sie drehe. Es gelte, diesen Prozeß zu erkennen und sich daran zu beteiligen, statt die unvermeidlichen Einbußen zu bejammern, denen die Ideen der Studenten auf dem Weg des Einsickerns in die Gesellschaft ausgesetzt seien. Die Studenten gefielen sich in der Rolle des Propheten in der Wüste, sie hätten Angst, sich mit der praktischen Arbeit in den Institutionen die Hände schmutzig zu machen, sie hätten eine selbstzerstörerische Angst vor dem Erfolg.

Es störte Lenz, daß er nicht in allen Punkten gegensätzlicher Meinung war wie sein früherer Gönner. Unwillkürlich hatte Lenz öfter genickt. Trotzdem fühlte er sich gereizt, in allem und jedem zu widersprechen. Nach einigen unbefriedigenden Versuchen des Widerspruchs fand er heraus, daß er sich nicht so sehr über die Sätze des Gönners ärgerte, sondern über seinen würdigen Ton und über den Anzug, den er dazu trug. Um etwas Abstand in das Gespräch zu bringen, erkundigte sich Lenz nach der Arbeit des Begleiters und nach seinen Plänen. Aber der ließ sich einfach nicht vom Thema ablenken, er forderte Lenz zu einer Stellungnahme auf. Dabei drängte er ihn mit seinem ziemlich umfänglichen Bauch in einen Hauseingang und merkte gar nicht, daß er Lenz so häufig ins Wort fiel, daß dieser gar nicht dazu kam, ihm zu antworten. Lenz versuchte mehrmals, unter dem Arm durchzuschlüpfen, mit dem sich der frühere Gönner an der Türfüllung abstützte, aber er kam erst zu Wort, als ein Anwohner freien Eintritt verlangte.

»Haben Sie nicht dasselbe gesagt, bevor die Rebellion der Studenten überhaupt anfing?« fragte Lenz. »Ich erinnere mich, daß Sie bereits vor Verirrungen warnten, als noch niemand irgendwohin aufgebrochen war. Während andere auf die Straße gingen und sich mit der Polizei prügelten, haben Sie warnend den Zeigefinger erhoben, umsichtig das Richtige vom Falschen getrennt, Ihre Auflagen gesteigert und Häuser gebaut. Es ist aber nicht das gleiche, wenn einer, der statt des Kugelschreibers nie einen Stein in die Hand nahm, jetzt das Werfen von Steinen verurteilt mit den gleichen Sätzen, mit denen ein anderer die Erfahrung beschreibt, daß es sinnlos geworden ist, Steine zu werfen. Praktisch werden die gleichen Sätze nicht das gleiche bedeuten, meinen Sie nicht?«

Gut, darüber brauchten sie nicht zu streiten, versetzte der frühere Gönner im Weitergehen, wichtig sei das Ergebnis, was Lenz jetzt denn mache, er sei bereit ihm zu helfen, den Weg zu einer praktischeren politischen Tätigkeit zu finden. Er umriß dann, was er darunter verstand. Lenz war zu wenig informiert, um in allem folgen zu können, ihm blieb nur das Wort Butterberg hängen, der europäische Butterberg müsse abgetragen werden. Und während der frühere Gönner bereits von dem enttäuschenden Verhalten eines Finanzministers sprach, sah Lenz immer noch den Gönner mit einem Spaten vor einem riesigen Butterberg stehen.

Lenz wollte noch genauer wissen, was der frühere Gönner unter einer praktischen politischen Arbeit verstehe. Aber der hatte einen Termin, er lud Lenz ein, einmal vorbeizukommen, wenn er Rat brauche.

An einem Dienstag abend ging Lenz wie jede Woche zur Betriebsgruppe. Er wurde freundlich empfangen, er war beliebt. Das Zimmer war voll Rauch, er konnte die Gesichter nur undeutlich erkennen. Ein Text von Mao Tse-tung wurde gelesen. Lenz konnte sich nicht auf den Text konzentrieren. Er haßte die Männer dafür, daß sie keine Frauen waren, und die Frauen dafür, daß sie nicht L. waren. Er hörte immer dieselben Worte, sinnliche Erkenntnis, Bewußtsein, Proletariat, Strategie. In seinem Ohr setzte sich die getragene bruchlose Melodie dieser Sätze fest, es störte ihn, daß es keine Pausen, keine Neuanfänge, keine Anspielungen gab. Es kam ihm alles so artig, so nett vor, er hätte den Sprechern am liebsten lobend übers Haar gestrichen. Er stellte sich vor, daß sich andere Gruppen gleichzeitig an anderen Orten trafen und im gleichen Tonfall die gleichen Sätze sagten.

Er sah sich aufspringen, den Tisch leerfegen, einen heftigen Rhythmus auf die Tischplatte trommeln, mit dem Hintern in den Rauch und das Gesicht vor ihm springen. Er ließ von der Vorstellung ab, als er merkte, daß es gegen den Text gar nichts zu sagen gab. »Die Menschen sehen nämlich im Prozeß ihrer praktischen Tätigkeit zuerst lediglich die Erscheinung der Dinge, ihre einzelnen Seiten und den äußerlichen Zusammenhang zwischen den Dingen ... Das nennt man die Stufe der sinnlichen Erkenntnis, die Stufe der Empfindungen und Eindrücke.«

Er sah sich der Reihe nach die Gesichter der einzelnen Arbeiter an, er fragte sich, was er von ihnen wüßte. Wo waren ihre Frauen? Er nahm zusammen, was er darüber wußte und stellte fest, daß alle unverheiratet waren. Einzig der dicke K. war verheiratet, der seit drei Wochen wieder in die Gruppe kam, weil seine Frau seit vier Wochen verreist war. Er fing wieder von vorn an. Wie lange waren sie im Betrieb? Es wurde ihm klar, daß die meisten fremd in der Stadt waren und erst seit einem, höchstens zwei Jahren im Betrieb arbeiteten. Was hatten sie vorher gemacht, was machten sie nach der Arbeit, was hatten sie für Pläne? Der Lehrling L. wohnte noch bei seiner Mutter und wollte Ingenieur werden. Er würde nur solange herkommen, bis er sein Ziel erreicht hätte, weil die Gruppe seinen Aufstiegswunsch ablehnte. Der Facharbeiter C. war früher zwei Jahre lang mit seinem Freund A. durch die Welt getrampt. Er besserte seinen Verdienst durch einen kleinen Haschisch-Handel auf. A. träumte davon, sich einen Bauernhof in Italien zu kaufen. Wie würde er zur Gruppe stehen, wenn er ihn hätte? Der lange D. fehlte, weil seine Verlobte, die ihn loswerden wollte, ihn wegen eines kleinen Diebstahls im Betrieb angezeigt hatte und er daraufhin aus dem Betrieb geworfen wurde. M. wohnte mit seinen 30 Jahren immer noch mit seiner Mutter zusammen, niemand hatte ihn bisher gefragt, warum er noch nie mit einem anderen weiblichen Wesen zu sehen war. Der Italiener G. hatte Lenz einmal bei einem Bier erzählt, daß er am Wochenende immer schwarz D-Mark in Ostgeld eintauschte und es in Ost-Berlin mit polnischen Gastarbeiterinnen ausgab, die sich bei westberliner Gastarbeitern ein Zugeld verdienten. Das war alles nichts Besonderes, aber es wurde besonders dadurch, daß es wie ein Verbrechen aus der Arbeit herausgehalten wurde.

Es kam Lenz im Moment so komisch vor, daß alle diese Genossen mit ihren heimlichen Wünschen, mit ihren schwierigen und aufregenden Lebensgeschichten, mit ihren energischen Ärschen nichts weiter voneinander wissen wollten als diese sauberen Sätze von Mao Tse-tung, das kann doch nicht wahr sein, dachte Lenz. Wollten sie etwa nicht auch einfach zusammen sein, ihre Genüsse und Schwierigkeiten miteinander austauschen, einfach aufhören, allein zu sein? Würden sich diese Bedürfnisse, die als Arbeitshindernisse galten, nicht hinter dem Rücken der Gruppe durchsetzen und durch ihre Unterdrückung die Arbeit behindern? Und die Studenten? Lenz versuchte zuzuhören: »Indem sich die gesellschaftliche Praxis fortsetzt, wiederholen sich mehrmals die Dinge, die bei den Menschen in ihrer Tätigkeit Empfindungen und Eindrücke hervorrufen. Dann tritt im menschlichen Gehirn ein Umschlag im Erkenntnisprozeß ein und es entstehen Begriffe... Das ist die zweite Stufe der Erkenntnis.«

Woher kamen die Begriffe der Studenten, aufgrund welcher

Eindrücke und Empfindungen war in ihren Gehirnen der Umschlag in Begriffe eingetreten? M. wollte einmal Filmer werden und hatte darauf verzichtet, sein Studium fortzusetzen. S. hatte zwei abgebrochene Studien hinter sich, K. hatte Liebeskummer und schwor, von nun an auf die proletarische Art an Liebesdinge heranzugehen. Welchen Einfluß hatten diese und andere Empfindungen und Eindrücke auf die Begriffsbildung der Studenten? »Die lächerlichsten Menschen in der Welt sind die Alleswisser, die, nachdem sie irgendwo fragmentarische Kenntnisse aufgeschnappt haben, sich selbst zur ersten Autorität in der Welt ernennen, was lediglich von ihrer maßlosen Einbildung zeugt. Kenntnisse gehören zur Wissenschaft, und auf diesem Gebiet ist nicht die geringste Unehrlichkeit und Überheblichkeit statthaft – es bedarf entschieden gerade des Gegenteils, der Ehrlichkeit und Bescheidenheit.« Toll, wie klar sich der chinesische Heilige ausdrücken konnte. Für jeden hatte er zum rechten Zeitpunkt das rechte Wort parat.

Lenz gab es auf, sich über den Text zu ärgern, er ärgerte sich über den hypnoseähnlichen Zustand, in dem er aufgenommen wurde. Er schaute auf die Hosen der Männer und fand heraus, auf welcher Seite ihr Schwanz lag. Er stellte sich ihre Schwänze in Erregung vor und dann die Folge von Veränderungen der Körper, die stattgefunden haben mußten, bis alle wieder so sitzen und sprechen konnten. Er begann mit der Gegenhypnose, er hörte sich sprechen: »Ich lege euch jetzt die Hand auf die Stirn. Ihr schließt die Augen. Ihr hört auf zu sprechen. Ihr steigt, während ich spreche, auf eure Stühle, ihr haltet euch an den Händen. Ihr beginnt mit den Stühlen zu wippen. Ihr fallt nicht um. Ihr beginnt zu wippen mit geschlossenen Augen. Ihr beginnt zu schreien, während ich spreche, wippend mit geschlossenen Augen. Ihr öffnet die Augen und schreit euch an. Ihr schreit euch an, bis ihr anfangt, euch zu schlagen. Ihr schlagt mit den Armen aufeinander ein, so heftig ihr könnt, ohne euch zu berühren. Ihr beginnt, euch mit euren Schlägen zu treffen. Ihr werdet müde, ihr hört auf zu schlagen, ihr beginnt zu sprechen.«

Er begann zu sprechen. Er machte einen Einwand geltend gegen das Argument, daß in einer Wirtschaftskrise das Bewußtsein der Massen wachsen würde. Er hatte das Gefühl, richtige Sätze zu sagen, er haßte sich, wie er sprach. Er erschrak über den fremden Blick, mit dem er alle betrachtete. Er faßte einen Entschluß, er sagte: »Ich kann mich auf die Sätze, die hier gesagt werden, nicht konzentrieren. Ich verstehe sie schon, ich kann nur nichts mit ihnen verbinden, jedenfalls nicht das, was mit ihnen gemeint ist. Zum Beispiel bleibt mir bei den Wörtern ›die vollständige Beseitigung der Finsternis in der Welt‹ nur das Wort Finsternis hängen.

Ich weiß nicht, ob ihr das kennt. Ich erinnere mich an eine finstere, neblige Nacht, ich glaube, es war Silvester. Ich wollte nach einem Streit mit meiner Freundin nachhause fahren, da ging uns mitten in der Dunkelheit aus einem Reifen die Luft raus. Wir hatten keinen Wagenheber dabei, und es gelang uns nicht, ein anderes Auto anzuhalten, um das Werkzeug für den Reifenwechsel zu bekommen. Schließlich, nach einer halben Stunde, fanden wir jemanden, der uns half. Das Warten und Frieren im Finstern, das Suchen und Hinundhergehen, bis wir jemanden fanden, der uns half, machte unseren Streit ganz unwichtig. Hinterher, als wir wieder im Auto saßen, versöhnten wir uns und wußten gar nicht mehr, worüber wir uns gestritten hatten. Und dann fällt mir ein, daß ich jetzt seit drei Monaten allein bin, daß ich seither öfter allein durch die Straßen gelaufen bin und daß meine Stimmung ziemlich finster war.

Ich will damit sagen, daß der Text etwas bei mir auslöst, aber eben etwas, das mit seinem Sinn gar nichts zu tun hat. Entweder liegt es an mir, daß ich eben jetzt, gleichgültig um welchen Text es sich handelt, nur noch auf solche Reizwörter reagiere. Oder der Text ist so weit von unserer aktuellen Erfahrung weg, daß man ihn, unabhängig von einem persönlichen Zustand, mit völlig fremden und willkürlichen Erfahrungen füllt. Was denkt denn ihr zum Beispiel bei diesem Satz oder bei anderen Sätzen? Könnt ihr sie so verstehen, wie sie dastehen? Könnt ihr euch Gegner vorstellen, gegen die ihr diese Sätze anwendet oder Freunde, denen ihr damit helft?«

Die Gruppe schwieg, die meisten blickten angestrengt auf den Boden. Dann fingen einige zu reden an. Wie er sich eine Gruppenarbeit eigentlich vorstelle, wenn jeder anfangen würde, bei einem wissenschaftlichen Text seine persönlichen Gedanken zu veröffentlichen? Wie daraus eine gemeinsame Tätigkeit entstehen sollte!

»Ich mache ja keinen Vorschlag«, erwiderte Lenz, »ich möchte nur wissen, ob ihr die gleichen oder ähnliche Schwierigkeiten habt beim Lesen des Textes.« Die Frage sei falsch gestellt, die Arbeit der Gruppe bestimme sich nicht aus ihren Schwierigkeiten, sondern aus ihren Aufgaben. Es sei unnütz, sich auf die Schwierigkeiten zu werfen, wenn es keine Methode gäbe, sie zu lösen. »Also muß ich die Lösung der Schwierigkeiten schon kennen, bevor ich sie äußere«, rief Lenz, »wie können wir dann jemals die Methode für ihre Lösung finden?« Das Gespräch wurde abgebrochen, nach zwei Stunden war die Diskussion über das gelesene Kapitel abgeschlossen, man setzte sich noch auf ein Bier zusammen. Der junge Facharbeiter, der Lenz im Betrieb angestoßen hatte, wandte sich an ihn: »Was du gesagt hast, gehörte wirklich nicht her. Aber irgendwohin gehört es schon. Besuch mich doch mal, ich find' dich ganz gut.«

An einem Nachmittag ging Lenz durch die Einkaufsstraßen der Stadt. Er hatte das Bedürfnis, nach der Arbeit eine andere Hose anzuziehen und wollte sich eine kaufen. Sein heller Mantel spiegelte sich in den Schaufenstern, er sah, wie er sich von mehreren Stellen gleichzeitig entgegenkam. Er betrachtete die Auslagen in den Schaufenstern. Er wunderte sich, daß dort immer noch jeden Monat neue Autos, Pelzmäntel, Schuhe, Fernsehgeräte, Abendkleider und Anzüge ausgestellt waren. Es gab immer noch Salonlöwen, die wie vor drei Jahren aus roten Sportwagen stiegen, immer noch Verkäuferinnen, die bei Bally viel zu teure Schuhe kauften, immer noch James-Bond-Filme, immer noch Leute, die auf das neue VW-Modell mit derselben Ungeduld warteten wie er und seine Freunde auf politische Neuigkeiten. Es kam ihm so vor, als hätten sich die Schaufenster in den letzten zwei Jahren leeren müssen, als müßten die Passanten inzwischen in gleicher Kleidung und mit neuen Wünschen daran vorübergehen.

Die Veränderungen, die an den ausgestellten Waren in den letzten zwei, drei Jahren stattgefunden hatten, schienen ihm lächerlich gering, mit dem bloßen Auge kaum wahrzunehmen. Vor einem VW-Salon blieb er stehen. Er sah, daß sich an den wesentlichen Bestandteilen des VW nichts geändert hatte: er hatte immer noch die gleiche Form, vier Räder, zwei Türen, er war nicht größer und nicht kleiner geworden. Gleichzeitig hatte sich etwas verändert. Er verstand die Bedeutung der Linien nicht, die er in der Ausformung der Kotflügel und der Frontscheibe bemerkte.

Er betrachtete nun die Passanten, die wie er vor dem Schaufenster standen und die ausgestellten VWs betrachteten. Er hörte Sätze, die die Neuigkeiten an den Autos beschrieben. Auf unsichtbare Einzelheiten hinweisend, erörterten die Betrachter die Veränderungen an dem selber nicht sichtbaren Motor des neuen Modells. Sie verglichen den Hubraum des neuen Motors mit den Hubräumen älterer Motoren, sie sprachen von Änderungen und Verstärkungen im Aufbau, in der Bodengruppe und im Fahrwerk, von einer Revolution in der Innenraumbelüftung, und sie behaupteten, der Wagen läuft und läuft und läuft. Lenz entnahm der Beschreibung, daß große Veränderungen stattgefunden haben mußten. Er stellte fest, daß die gleichen Veränderungen, die ihm vergleichsweise unwichtig erschienen, von den meisten Betrachtern als groß und einschneidend wahrgenommen wurden. Er fragte sich, was ihn die ganze Zeit daran gehindert hatte, sich für diese Veränderungen zu interessieren, und ob umgekehrt die gesellschaftlichen Veränderungen, die von ihm und seinen Freunden als groß und einschneidend wahrgenommen wurden, von den Betrachtern als unwichtig angesehen würden.

Er ging weiter, es wurde ihm unbehaglich, er fühlte sich ausgeschlossen. Wie die Straßen nach und nach schattiger wurden, kam ihm alles so unwirklich, so zuwider vor. Die Häuser türmten sich vor ihm auf wie Gebirge. Eine sonderbare Angst befiel ihn, er hätte der Sonne nachlaufen mögen. Er warf die Arme um den Rücken, um sich warm zu machen. Er klammerte sich an alle Gegenstände, Gestalten zogen rasch vorbei, er drängte sich an sie. Immer wieder glaubte er den Gang oder die Haare von L. zu erkennen. Er täuschte sich jedesmal. Er fing an zu laufen. Es war ihm plötzlich, als stecke er nur noch mit den Füßen bis höchstens zum Knie in der Stadt, als liefe er auf ungeheuren Stelzen durch die Straßen und wäre mit seinem übrigen Körper über die Häuser hinausgewachsen, er schrie, er sang, er wollte sich kleiner machen.

Er ging in die Wohnung des jungen Arbeiters, mit dem er sich angefreundet hatte, seit er in der Fabrik und in der Betriebsgruppe arbeitete. Wolfgang wohnte in einer Wohngemeinschaft, das Zimmer war in derselben Weise eingerichtet wie die meisten Zimmer in Wohngemeinschaften, die Lenz kannte. Ein selbstgezimmertes Bücherregal an der Wand mit den paar blauen und roten Buchrücken, drei Matratzen in der Ecke zu einem Bett zusammengerückt, als Tisch diente eine unbearbeitete Zimmertür, die auf zwei Holzböcken vor dem Fenster lag. An den Wänden Plakate, die zu einer Demonstration aufriefen, fröhliche junge Gesichter unter roten Fahnen, die unerschrocken in die Zukunft blickten. Wolfgang zeigte Lenz die Stereoanlage, die er mit einem lächerlichen Rabatt von 20 % im Verkaufsshop der Firma, in der beide arbeiteten, erstanden hatte. Er fragte, ob Lenz ein Lied von einem schwarzen Bluessänger hören wolle, den er gerade wiederentdeckt habe. Lenz lehnte ab, er fühle sich nicht danach.
Er versuchte Wolfgang zu schildern, wie er eben durch die Straßen gelaufen war. »Du mußt ganz schön viel Zeit haben«, sagte Wolfgang. Lenz fühlte sich nicht verstanden. »Ich merke schon, was mit dir los ist«, sagte Wolfgang, »nur so, wie du's erzählst, kann man's nicht merken. Die Sache ist die, du möchtest dich mir gern verständlich machen, und nicht nur auf die politische Art. Du möchtest gern glauben, daß wir Arbeiter

auch Menschen sind, mit denen man reden kann, aber du glaubst es noch nicht. In Wirklichkeit stellst du dir unter mir so jemanden vor, wie du selber gern sein möchtest. Zum Teil jedenfalls, denn dein ganzes Leben lang ackern möchtest du nicht. Du hast nicht gelernt, dich deiner Haut zu wehren, also muß ich groß und stark sein und gleich mit der Faust zuschlagen, wenn mir was nicht paßt. Du hast nur deine Liebesgeschichten im Kopf, also darf ich nichts anderes im Kopf haben als den Betrieb und die Ausbeutung. Da du ständig schwankst, muß ich fest und unerschütterlich sein und habe nichts anderes zu tun, als Barrikaden zu bauen. Nur solche Gefühle und Wünsche, wie du sie hast, die darf ich nicht haben, die pachtest du für dich. Stimmt schon, ich hab nicht dieselben Gefühle wie du, bin auch ganz froh darüber. Paß auf, ich will dir mal sagen, wie es mir in letzter Zeit mit dir und deinen Freunden so geht.«

Wolfgang fragte Lenz, ob er sich erinnere, daß sie neulich in Polanskis »Tanz der Vampire« gegangen waren. Ein paar Tage danach hatte sich Wolfgangs Wahrnehmung merkwürdig verändert. Das erste Mal stieß er darauf, als er mit dem Bus von der Arbeit nachhause fuhr. Der Mann, der ihm gegenübersaß, nahm die Zeitung vom Gesicht weg, um umzublättern, und Wolfgang bemerkte plötzlich, wie zwei winzige Vampirzähnchen ein Stück weit über seine Unterlippe ragten. Beim nächsten Umblättern sah Wolfgang noch einmal genau hin, da waren sie wieder weg. Aber gleich danach, als der Mann die Zeitung weglegte, um seine Fahrkarte vorzuzeigen, standen sie scharf und unübersehbar in die Gegend. Wolfgang wunderte sich, daß der Schaffner nichts davon bemerkte, dann verstand er warum. Auch bei dem Schaffner hatten sich kleine weiße Vampirzähne gebildet, die allerdings nur Wolfgang auffielen, weil er so genau hinsah.

Als er den Bus verließ, war alles wieder in Ordnung, an den Gebissen der Passanten gab es nichts auszusetzen. Aber als er den dunklen Hauseingang zu seiner Wohnung betrat, waren sie in Scharen wieder da: mindestens sechs, sieben ausgewachsene Vampire standen in der Ecke und fletschten gierig die

Zähne. Wolfgang nahm immer gleich drei Treppenstufen auf einmal, die Vampire keuchten hinter ihm her. Wolfgang war als erster an der Wohnungstür, er schloß auf und sperrte hinter sich ab, aber als er dann in seinem Zimmer auf dem Bett lag, kamen sie grinsend hinter dem Schrank vor und stürzten sich auf ihn. Wolfgang hielt sie mit fürchterlichen Faustschlägen in Schach, dem einen, dem kleinsten Vampir versetzte er einen derartigen Schlag aufs Gebiß, daß ihm der Unterkiefer wegflog, das schien zu helfen, jedenfalls verdrückten sich die Vampire und ließen Wolfgang in Ruhe. Wolfgang hatte dann ein paar Tage nichts mehr mit ihnen zu tun, es war ihm schon langweilig geworden, mit diesem mißtrauischen Blick auf jedes Gebiß zu starren, das ihm entgegenkam.

Aber als er dann am nächsten Dienstag in die Betriebsgruppe ging, war die Vampirrunde vollzählig versammelt. Die größten und brutalsten Hauer standen in dem Gesicht des Studenten M., der sie auch, wenn er seine Ansprachen an die Runde hielt, am ungeniertesten zeigte. Selbst in den Gesichtern der Mädchen, die wunderbar zart und bleich über den Büchern schwebten, kamen, sobald sie nur den Mund aufmachten, kräftige, messerscharfe Schneidezähne zum Vorschein. Einzig und allein die Studentin K., die Wolfgang schon seit längerer Zeit kannte und die ihn in die Gruppe gebracht hatte, zeigte ihm ein einwandfreies Gebiß. Lenzens Vampirzähne waren nicht allzu groß, er bemühte sich ständig, sie zu verbergen. Aber sobald er einmal ins Reden und Zitieren kam, wurden sie größer und übertrafen Wolfgangs schlimmste Erwartungen. Auch wenn Lenz immer wieder versuchte, die Hand vor den Mund zu halten, den nüchternen Blicken von Wolfgang entging es nicht, daß er genauso ein Vampir war wie alle anderen auch. Später, beim Biertrinken, schrumpften die Zähne aller Gruppenmitglieder wieder auf eine erträgliche Länge. Aber als Wolfgang morgens früh im Betrieb mit dem Meister sprach, ging alles von vorne los.

Früher hatte er dem Meister offen die Meinung gesagt, wenn ihm etwas nicht paßte, er hatte ihn genauso behandelt wie irgendeinen Kollegen, den man nicht leiden konnte. Man kannte schon seine Redensarten und machte sich darüber lustig, man schaute nach, ob er wie üblich seine drei Härchen gescheitelt hatte. Jetzt war der Meister nicht mehr der Herr Soundso, sondern der Agent einer feindlichen Klasse, alles was er sagte und tat, hatte eine ganz bestimmte Bedeutung, die Wolfgang jetzt klar durchschaute. Wolfgang sprach mit dem Meister nicht mehr so, wie es gerade kam, er überlegte sich jedes Wort, bei jedem Satz hatte er die Stimmen der Studenten im Ohr, die ihn bestätigten oder warnten.

Mit wachsender Schärfe sah er die Doppelgesichtigkeit seiner Kollegen. Alle sind unzufrieden mit ihrer Arbeit im Betrieb, sie reden davon, daß sie ausgenutzt werden, aber sie lassen es sich gefallen. Er begann, seinen Kollegen zu mißtrauen, er fing an, jedes Wort, das sie sagten, auf die Waagschale zu legen. Als neulich ein Kollege sein Werkzeug dem Meister vor die Füße schmiß, weil der an ihm herumgemäkelt hatte, spürte er eine richtige Verachtung vor einer so lächerlichen Aktion. Aber auch die Studenten erschienen ihm unglaubwürdig. Sie konnten gut reden, auf alles wußten sie eine Antwort, aber was machten sie schon? Sie hatten kein Verhältnis zur Arbeit, und wenn sie arbeiteten, dann taten sie das nicht gern wie Wolfgang zum Beispiel, dem es manchmal richtig Spaß machte zu arbeiten. Das Schlimmste war, daß er in letzter Zeit auch nicht mehr richtig vögeln konnte, er versuchte ständig, seiner Freundin nicht ins Gesicht zu schauen, weil er auch bei ihr die Vampirzähne sah. »Irgendwie habe ich das Gefühl«, schloß Wolfgang seine Erzählung, »ihr saugt mir das Blut aus den Knochen. Und du, so harmlos du jetzt dasitzt, bist auch so ein Blutsauger!«

Lenz fragte Wolfgang, was er jetzt gegen die Vampire unternähme. »Abwarten und Tee trinken«, erwiderte Wolfgang, »ich schlage jetzt nicht mehr als erster zu, wenn sie mich besuchen. Ich bleibe einfach liegen und lasse sie mich in aller Ruhe zerfleischen. Dann werden sie immer schlaffer.« Was er denn tun wolle, wenn die Vampire ihn nicht in Ruhe ließen? »Du bist nicht der erste, dem ich das erzähle. Die Kollegen im Betrieb haben mir geraten, zum Zahnarzt zu gehen. Und wenn das nicht hilft, dann gehe ich in die nächste Irrenanstalt und in spätestens zwei Wochen bin ich wieder da!«

Wolfgang erzählte Lenz dann, einer der gierigsten Vampire sei ein GI, dem er früher begegnet war. Wolfgang war in einer von den Amerikanern besetzten Stadt aufgewachsen. Er hatte sich viel mit den Soldaten geprügelt. Als Vierzehnjähriger war er in einer Kneipe von einem schwarzen GI provoziert worden. Mit der Schulter stieß er ihn weg, der GI holte Verstärkung. Unter dem Tisch schob ihm sein Freund eine Stahlrute zu, die Wolfgang dem GI ins Gesicht schlug. Als die anderen die blutige Platzwunde in seinem Gesicht sahen, liefen sie weg. Später las er dann die Bücher von Malcolm X und Eldridge Cleaver. Damals war ihm häufig das blutüberströmte Gesicht des GI in Träumen erschienen. Früher hatte Wolfgang nie Angst gehabt, er hatte immer als erster zugeschlagen. Erst seit er in der Betriebsgruppe zum Nachdenken gezwungen sei, lerne er die Angst kennen.

Wolfgang fragte Lenz, ob er Lust habe, abends mit zu den Ten Years After zu kommen. Lenz mochte sich nicht entschließen. »Du nimmst deine Macken zu wichtig«, sagte Wolfgang, »wenn du und die anderen, wenn ihr nicht so spinnen würdet, könnten wir eine ganze Menge erreichen. Ihr habt mich ganz schön kaputt gemacht, und wahrscheinlich muß ich euch eben doch noch mal in die Fresse schlagen, bevor wir wirklich zusammen was machen können.«

An einem Samstag abend ging Lenz auf ein Fest. Er wußte, es war die Art Fest, die es eigentlich nicht mehr geben konnte und immer noch gab. Gleich bei seinem Eintritt wurde Lenz herzlich umarmt von einem Dichter, der ihn noch weniger leiden konnte als Lenz ihn. Lenz sah sich um. Früh gealterte Dichter vermehrt um ein paar heimlich dichtende Revolutionäre und Studentenfunktionäre. Sonst war alles beim alten geblieben. Rote Samtvorhänge vor den Fenstern, leicht melancholisch bis fette Gesichter, die Frauen in schönen Verkleidungen, neu an den Wänden einige geschmackvolle politische

Poster. Der Hausherr begrüßte jeden hereinkommenden Gast, als wäre gerade er derjenige, auf dessen Kommen er einzig und allein Wert legte.

Der Germanist und Kritiker Neidt, den Lenz seit längerer Zeit nicht mehr gesehen hatte, kam auf ihn zu. Nachdem sie einander ihre Verwunderung darüber mitgeteilt hatten, sich ausgerechnet hier zu treffen, wollte der Kritiker wissen, was Lenz mache. Lenz fragte nach einer Neuerscheinung, von der er gerade gehört hatte. Der Kritiker machte eine verächtliche Handbewegung, als wolle er sagen, daß er Neuerscheinungen und allem, was damit zusammenhing, ein für alle Mal den Rücken gekehrt habe. Der Kritiker wiederholte seine Frage. »Ich laufe herum und schaue mir die Häuser an«, erwiderte Lenz. »Haben Sie schon einmal bemerkt, daß die Zahl der Fenster des nächstbesten Hauses mit der Zahl der Stockwerke zusammengerechnet immer eine ungerade Zahl ergibt?« »Gut, gut«, er habe nicht nach Lenzens Privatleben gefragt. »Interessiert es Sie nicht?«, fragte Lenz, »Sie haben doch früher Gedichte geschrieben. Und jetzt lesen Sie nur noch Willi Bredel und sind ganz objektiv? Wie war eine so rasche Entwicklung möglich?«

Der Kritiker sprach von überwundenen Kinderkrankheiten. Womit Lenz sich beschäftige, ob er auf der letzten Demonstration gewesen sei. Er sei hierher gekommen, weil er tanzen wolle, erwiderte Lenz. Der Kritiker nahm das als eine Ausflucht. Er habe gehört, Lenz arbeite im Betrieb. Ob Lenz etwa glaube, aus seiner Haut herausspringen zu können, indem er sich den Arbeitern in die Arme werfe? »Ich arbeite mehr aus Neugier«, gab Lenz zur Antwort, was den Kritiker zu der Bemerkung veranlaßte, daß er da mit einer recht merkwürdigen Kategorie operiere, Neugier. »Ich kann«, sagte Lenz, »einer Idee, die ich mir gebildet habe, erst folgen, wenn ich ihr durch die Anschauung das Gefühl hinzufüge, das ihr entspricht. Wie machen Sie das, woher nehmen Sie Ihre Gefühle?«

Der Kritiker entwickelte sofort einen Gedankengang, demzufolge es opportunistisch war, als Intellektueller im Betrieb zu arbeiten. Lenz widersprach nicht. Er antwortete, indem er immer genau die Schlußfolgerung ergänzte, die sich aus der Beweisführung des Kritikers mit Notwendigkeit ergab. Dabei achtete er vor allem auf die Stimme des Kritikers und auf seine Gesten. Er nahm, wenn er sprach, jeweils Tonlage und Gestus des vorangegangenen Satzes auf und suchte ihn zu übertreiben. Wenn der Blick des Kritikers bei dem Wort Arbeiterklasse an Lenz vorbei in die Ferne schweifte, deutete Lenz mit dem Arm in die Blickrichtung des Kritikers, als liefe die Arbeiterklasse dort gerade vorbei. Blitzte bei dem Wort Opportunist Haß in dem Auge des Kritikers auf, dann ballte Lenz bestätigend die Faust. Schließlich waren beide soweit, daß sie im Chor dem Opportunismus und allen Spielarten den Krieg erklärten. Sofort sah sich Lenz nach einem Gegenstand um, an dem sie ein Exempel statuieren könnten. Lenz deutete auf die Bücherwand, die bis unter die Decke mit opportunistischen Schriftstellern gefüllt war. Er riß einige Bände von Goethe aus dem Regal, forderte den Kritiker auf, bei einer Jugendstilvase mit anzufassen und deutete auf ein Bild an der Wand, das Che Guevara als leidenden Christus darstellte. Der Kritiker war entsetzt. Der Kampf gegen die bürgerliche Ideologie müsse organisiert geführt werden, es sei nicht mit solchen spontanen Aktionen getan.

Schließlich fragte der Kritiker, warum Lenz ihm nicht widerspreche. »Weil ich nichts spüre, wenn Sie reden«, rief Lenz, »weil ich nichts spüre, wenn ich Ihnen widerspreche. Ihr habt«, sagte er dann, nicht direkt zum Kritiker, »alles, was weniger Privilegierte sich lediglich wünschen, wenn auch nicht alles. Ihr habt schnelle Autos, große Wohnungen, schöne Frauen, solange sie euch betrügen. Und da ihr für diese Vorteile nicht gearbeitet habt, habt ihr mit Recht ein schlechtes Gewissen. Voll Schrecken entdeckt ihr, daß ihr vollkommen überflüssig seid. Diese Entdeckung aber kränkt euch dermaßen, daß ihr schleunigst die wirkliche Bewegung, die eure Privilegien antastet, an euch zu reißen sucht und euch zu ihrem Führer ernennt. Ohne euer eigenes Bild vor euch und eure Klasse hinzustellen, ohne euren Anblick auch nur eine Sekunde lang zu ertragen und euch zu verändern, zimmert ihr euch ein Wunschbild vom Arbeiter zurecht, dessen wichtigste Aufgabe ist: er darf nicht so sein, wie ihr seid. Da ihr vor Egoismus platzt, muß er vor Solidarität platzen. Da ihr euch vor der Zartheit eurer Hände zu ekeln beginnt, muß er schwielige Fäuste haben, am besten mit einem Schraubschlüssel darin. Da eure Theater sich leeren, soll er von der Kultur überhaupt nichts mehr wissen wollen, auch nicht von seiner eigenen. Da ihr mit euch selbst nichts mehr anfangen könnt, soll er ohne eure Führerschaft völlig verloren sein. Habt ihr früher, solange es euch besser ging, die Früchte der gesellschaftlichen Arbeit an euch gerissen, so reißt ihr jetzt, wo ihr das nicht mehr so einfach könnt, die Theorie für die Abschaffung der Ausbeutung an euch. Der Witz ist, daß die ausgebeutete Klasse, von der ihr träumt, sich ja wirklich zu befreien beginnt, nur tut sie das ohne Rücksicht auf eure beleidigten Vorstellungen von dieser Befreiung. Versteht endlich, daß ihr diese Bewegung am besten unterstützen könnt, wenn ihr den Kampf gegen eure eigene Klasse beginnt, ihr könnt diese Bewegung nicht führen. Ihr seid nicht so wichtig.«

Der Kritiker fragte Lenz, worauf er hinauswolle, welches Ziel er verfolge. Lenz verstummte, er merkte, daß die Vorwürfe, die er gegen den Kritiker geäußert hatte, sich gegen ihn selber richteten. Er wollte sich bewegen, die Starre loswerden, die er schon wieder in seinem Körper spürte, er fing an zu tanzen. Anfangs ließ er sich ablenken durch die Bewegungen der anderen Tänzer. Der Gastgeber tanzte mit einem entschuldigenden Lächeln auf den Lippen, das jede seiner Bewegungen gleich wieder zurücknahm. »Ich möchte lieber nach meinen Schriften beurteilt werden«, schien er seiner Partnerin sagen zu wollen, »das Tanzen ist nicht eine von meinen Stärken.« Ein fortschrittlicher Dichter trat zornig von einem Bein auf das andere, die Musik war ihm ein Anlaß, sich nicht aus seinem Rhythmus bringen zu lassen. Ein Studentenführer vollführte große, das Zimmer füllende Bewegungen, überall eckte er an und lachte jedesmal fröhlich.

Lenz schloß die Augen, er mochte sich nicht mehr wehren, er

tanzte mit weiten wütenden Bewegungen, überall in seinem Körper spürte er Knoten und Stöcke. »Ihr tanzt nicht heftig genug«, sagte er zu seiner Partnerin, weil sie es nicht zu ihm sagte, »ihr tanzt den Haß nicht heraus. Es muß weh tun, ehe ihr euren Körper spüren könnt. Haltet euch nicht so raus. Werdet doch häßlicher, tanzt unbeholfener. Schön werdet ihr erst, wenn ihr restlos kaputt und atemlos seid.«

Allmählich wurde er weicher, er ließ sich kitzeln und stoßen von der Musik, sein Gehirn hielt sich nicht mehr im Kopf und rutschte nach unten in die Arme und Beine. Als er aufhörte, hatte er so ein wunderbares Gefühl, das im Magen beginnt und den ganzen Körper durchlässig macht, er war größer geworden. Er sah sich um, es störte ihn nicht mehr, daß die meisten Gäste immer noch in den Ecken standen und sich in einem eintönigen Singsang über die Revolution und die Literatur unterhielten. Er suchte den Kritiker, er hatte Lust, mit ihm zu tanzen oder ihn wenigstens auf den Arm zu nehmen.

An einem Nachmittag war Lenz mit L. verabredet. Sie wollten sich in einem Cafe treffen, in das sie früher oft zusammen gegangen waren. Lenz setzte sich an einen Tisch draußen auf der Straße. Am Tisch neben ihm saßen zwei sorgfältig gekleidete alte Herren, von denen der eine einen Brief vorlas, einen Rechtsstreit in einer Erbschaftsangelegenheit betreffend. Lenz war so unruhig, daß es ihm nicht gelang, Zeitung zu lesen. Widerwillig hörte er dem Text des Briefes zu, der den Fall eines als verrückt beschriebenen Verwandten schilderte. In hohem Alter hatte dieser Verwandte eine Erbschaft von 40 000 DM gemacht und verpraßte das Geld nun durch die Anschaffung von dutzenden elektrischer Spielzeugeisenbahnen, Rollern, teurer Puppen und dergleichen. Der Briefschreiber suchte den Adressaten davon zu überzeugen, daß der Verwandte in Kürze die ganze Erbschaft verschwenden werde und entmündigt werden müsse.

Als Lenz L. von weitem kommen sah, gab es ihm einen Riß. Sie sieht tatsächlich genauso aus, wie ich sie mir die ganze Zeit vorstelle, sie bewegt sich auch so, dachte Lenz, ich bilde mir das nicht ein. Er war froh, einen Stuhl unter dem Hintern zu haben, er wußte genau, daß ihm die Knie schlackern würden, wenn er gestanden hätte. Es war ein ähnliches Gefühl wie damals, als er sie zum ersten Mal sah. Sie stand an einer Bushaltestelle und wartete mit Lenz auf den Bus. Als er sie ansah, traute er zuerst seinen Augen nicht, und dann hatte es ihn wie ein Blitz durchfahren. Als er später mit einem Freund darüber sprach, hatten sie sich darüber lustig gemacht, weil es keine vernünftige Erklärung für dieses Gefühl des Wiedererkennens gab. Was genau passierte denn, wenn es einen so durchfuhr, war das nicht Einbildung? Aber dann hatte er in einem Buch gelesen, daß die Leute in Sizilien ein solches Ereignis genau mit diesem Namen bezeichneten, sie nannten es einen Blitzschlag, und wenn es passierte, richteten alle sich danach. Es war selbstverständlich, daß die Familie und die Freunde des Betroffenen alles taten, um die beiden zusammenzubringen.

L. setzte sich, sie holte ein paar Briefe für Lenz aus der Tasche, die noch an die gemeinsame Adresse geschickt worden waren. Lenz schaute nach den Absendern, als gäbe es im Moment nichts Wichtigeres, dann steckte er die Briefe ein. Sie hatten sich seit Monaten nicht mehr gesehen, aber sie benahmen sich wie ein Ehepaar, das sich erst beim Frühstück voneinander verabschiedet hat. L. war gerade beim Zahnarzt gewesen, der Zahnarzt hatte sich nach Lenz erkundigt. L. sagte, wie schwer es ihr fiel, darauf eine unbefangene Antwort zu geben. Lenz erkundigte sich, wie es ihr beim Zahnarzt ergangen war, L. zeigte ihm, indem sie sich mit einem Finger den Mund hochzog, die Plombe, die sie sich hatte machen lassen. Als Lenz ihr in den Mund schaute, kam ihm seine Neugier für den plombierten Zahn so blöde vor, daß er ihr am liebsten darin herumgebohrt hätte. L. schien selber verärgert über ihre Vertraulichkeit, sie lehnte sich zurück und fragte Lenz, warum er eigentlich angerufen, ihre Verabredung gebrochen habe.

Lenz hatte sich vorher einiges zurecht gelegt, zwischendurch waren ihm ein paar Formulierungen eingefallen, von denen er meinte, sie würden ihre Beziehung revolutionieren. Aber jetzt, so nah vor L., kam ihm alles hohl und ausgedacht vor. Es faßte ihn eine Wut, daß er sich schon nach so kurzer Zeit wie an Armen und Beinen gefesselt vorkam. Es liegt doch gar nicht daran, wollte er sagen, daß ich dich nicht will, das sieht doch ein Blinder, daß ich wie eine Klette an dir hänge, jeden Tag, jede Nacht muß ich an dich denken, ich habe es so unaussprechlich satt, deinen Körper vor mir zu sehen, ich werde versklavt, kastriert, entmündigt von diesen Gedanken an dich, ich platze vor Sehnsucht, warum begreifst du nicht, daß es nicht darauf ankommt, uns noch stärker aneinander zu binden, sondern darauf, einen größeren Abstand zwischen uns zuzulassen, damit wir uns nicht gegenseitig zum einzigen Sinnesorgan werden, durch das wir die Außenwelt wahrnehmen.

Er sagte nichts dergleichen. Mit einer Sachlichkeit, die ihn anekelte, schlug er vor, daß sie sich öfter sehen sollten, er fände es absurd, hier in derselben Stadt zu leben, ohne sich zu sehen, da wäre es ja unvermeidlich, daß sie sich gegenseitig zu einem Mythos machten, sie sollten versuchen, über ihre Arbeit, ihren Alltag miteinander zu sprechen und endlich eine – Lenz fiel auch nur der Standardausdruck ein – emanzipierte Beziehung zueinander herstellen. »Du sprichst nur von dir«, sagte L., »ich komme in dem, was du sagst, gar nicht vor.« Das sei überhaupt kein neuer Vorschlag, den habe er schon x-mal gemacht, den könne er sich an den Hut stecken, das sei nichts für sie.

Lenz fiel nichts mehr ein, was er noch sagen konnte. Er wußte nur, daß er alles, L.s Verstocktheit, seine Vorschläge, die ganze ausweglose Situation satt hatte. Er schaute auf den neuen Pullover, den L. trug, und, natürlich, schon wieder, auf diese unverschämten hochansetzenden Brüste darunter. Ihm fiel ein, daß er sich, seit sie auseinander waren, kein einziges Kleidungsstück mehr gekauft hatte, weil er sich daran gewöhnt hatte, daß L. die Sachen für ihn aussuchte. Sie hatte ihm überhaupt erst beigebracht, wie er sich am besten anzog, sie wußte am besten, was ihm stand. Es empörte ihn, daß sie es im Gegensatz zu ihm fertig gebracht hatte, sich diesen Pullover und

wer weiß was noch alles zu kaufen. Er sah sie jetzt vor sich,
wie sie einen Laden betrat, sich ein teures, französisches Kleid
zeigen ließ, viele Kleider, wie sie sich vor den Spiegel stellte,
die Verkäufer hinter ihr staunten, alles schien wie für sie gemacht, es gab nichts, was ihr nicht stand. Wie sie dann alles
wieder auszog, den Pullover für 12 Mark kaufte und gleich
anzog, dazu trug sie einen einfachen Rock, gebraucht gekauft
und selbst gesäumt, sie brauchte nichts anderes, sie probierte
diese teuren Sachen nur an, weil es ihr Spaß machte, sich für
einen Augenblick zu verkleiden.

Er war jetzt von der Vorstellung besessen, daß er sich nie
mehr würde einkleiden können ohne L., daß es ihm ohne sie
nicht mehr schmecken würde, daß sein Zimmer leer und tot
bleiben würde, ein Wartezimmer im Bahnhof, aus dem man
nur abhauen kann. Er brachte es nicht fertig, die Frage zu
unterdrücken, wo und mit wem sie den neuen Pullover gekauft habe. Was ihn das anginge, er solle sie nicht so aushor-
chen, es ihr nicht noch schwerer machen, er müsse endlich begreifen, daß sie sich seit zwei Jahren gegenseitig mit ihren
Bedürfnissen unterdrückten. Lenz wußte, was jetzt kam, es
waren zum Teil seine eigenen Worte, oder die seiner Freunde,
diese prachtvolle Formel, die alle ihre Abhängigkeiten auf den
Begriff brachte. Und auch mit der Anwendung war es immer
das gleiche: wenn er diese Erklärungsformel verwarf, weil er
ihr mit den Gefühlen nicht mehr nachkam, richtete L. sie wie
eine Mauer zwischen ihnen auf, wenn sie es damit nicht mehr
aushielt, holte er sie aus der Schublade:

Ein junger Intellektueller verknallt sich in ein schönes Mädchen aus dem Volk. Er hat bisher wenig gesellschaftliche Erfahrungen gemacht, als gehorsamer Sohn seiner Klasse hat er
sich mit dem Leben hauptsächlich theoretisch auseinander-
gesetzt, auch dann noch, als er die politischen Begriffe dafür
fand, das bürgerliche Leben, das aus dem sicheren Abstand
entweder des Besitzes oder der Theorie die Kämpfe an der gesellschaftlichen Basis betrachtet, zu verwerfen. Zum ersten Mal
stößt er auf einen Menschen, der alles direkt und praktisch
durchgelebt hat, was in seinem Kopf nur als Wunsch und Vor-

stellung existierte. Seine Geliebte wird für ihn der Schlüssel zur Welt, er wirft sein ganzes Nachholbedürfnis nach praktischem Leben, seinen Hunger nach Erfahrung in diese Beziehung und beginnt, sie als Sprungbrett benutzend, die Welt mit den Sinnen zu erobern. Die Geliebte dagegen sucht in der Beziehung zu dem Intellektuellen endlich einen Schlüssel für ihre unbegriffenen Erfahrungen und Neuanfänge, sie will endlich ankommen, sie sucht Schutz und Sicherheit, und der Intellektuelle, der die Fehler und Irrtümer, die sie gemacht hat, durch rechtzeitiges Überlegen und Urteilen vermieden hat, muß ihr das, meint sie, doch geben können. Aber der Intellektuelle fühlt sich durch ihre Ansprüche bedroht, zum ersten Mal hat er angefangen zu leben und schon soll er sich gleich wieder einmauern, soll heiraten und Kinder kriegen. Er glaubt, seinem Selbstbewußtsein schuldig zu sein, daß er seine Entdeckungen aus eigener Kraft bewerkstelligt. Jetzt, wo er auf den Geschmack gekommen ist, will er auch mal allein tanzen gehen, allein nach Amerika fahren, allein, ohne durch die allgemeine Bewunderung für die Schönheit seiner Freundin seine Startchancen zu verbessern, eine fremde Frau erobern. Aber sobald er einen solchen Alleingang durchgesetzt hat, ist die alte Angst und Unfähigkeit wieder da, er stellt fest, daß er nur durch eine fremde Kraft zu leben begonnen hat. Der Intellektuelle verschweigt sich und seiner Geliebten diese Erfahrung. Die Verletztheit, mit der sie auf jeden seiner Versuche reagiert, einen selbständigen Schritt zu tun, erlaubt ihm, sie in die Rolle des Hindernisses zu drängen. Nicht seine Erziehung, sein bisheriges Leben, sondern die Geliebte hindert ihn daran, sich von seinen Verklemmungen zu befreien. Er beginnt von neuem, sich loszureißen, verletzt sie damit, er wirft ihr diese Verletzbarkeit vor, sie wirft ihm seine Unfähigkeit vor, sich für sie zu entscheiden und so fort.

»Und das ist eigentlich schon alles«, sagte L., »du brauchst diese Freiheit im voraus, ich brauche Nähe und Liebe im voraus, die du mir erst geben kannst, wenn du dieses Gefühl, etwas zu verpassen, überwunden hast. Mit diesen Bedürfnissen überfordern wir uns seit zwei Jahren. Das bedeutet, ich sehe unsere Geschichte als endgültig beendet an. Wir können uns gegenseitig unsere Bedürfnisse nicht erfüllen, was wir stattdessen tun, ist, uns gegenseitig Komplexe zu machen.« Sie wolle ihn auch nicht mehr treffen, weil sie sich im Moment noch nicht leisten könne, auch nur eine Nasenspitze von ihm zu sehen.

Lenz war wie vor den Kopf geschlagen. Ist das tatsächlich alles, fragte er sich, daß ich den unmöglichen Versuch unternommen habe, den Widerspruch zwischen den Wahrnehmungs- und Lebensweisen der Klassen privat durch eine Liebesgeschichte zu überwinden? Und wenn es so ist? Was nützt mir die Einsicht, wenn sie mich nachts nicht schlafen läßt? Sie redeten dann noch eine Weile weiter, in ruhigem Ton. L. erzählte Lenz, wie sie jetzt lebte, was sie sich vorgenommen hatte. Es kam Lenz unglaublich vor, wie wenig seine Vorstellungen über das, was L. ohne ihn machte, mit der Wirklichkeit übereinstimmten. Für einen Augenblick war ihm, als würde ihm ein Schleier von den Augen fortgenommen, diese Vorwürfe und Alpträume, diese Vorstellung, L. würde ohne ihn nicht leben können, hatten wenig oder gar nichts mit L. zu tun. Es waren Empfindungen, die nur aus ihm selbst kamen, er wußte nicht woher. Er begriff, daß L. damit begonnen hatte, die Fähigkeiten, die sie an ihm bewunderte, für sich selbst zu entwickeln. Als sie sich trennten, war er erleichtert, er wußte, das würde nicht lange vorhalten.

Ein paar Tage danach, als Lenz Marina wieder traf und nachhause brachte, nahm sie ihn ohne lange zu fragen am Arm und zog ihn die Treppe hinauf. Lenz hatte keine besondere Lust, andererseits war er es leid, seit Monaten allein zu schlafen. Als sie dann nebeneinander lagen, mochte er sich nicht rühren, jede ihrer Berührungen tat ihm irgendwie weh. Er schaute sie an, aber davon ging es ihm nicht besser, alles kam ihm wie ein Betrug vor, die Brüste waren ihm zu klein, die Beine zu kurz, ihre Finger hatten so etwas Tastendes, Unsicheres, das ihn wahnsinnig machte. Ihm war, als hätte er einen Splitter im Hals, er war froh, daß er einen Schluckauf bekam. Er schlug vor, auf dem Boden zu schlafen, das Bett sei so eng, er könne sich nicht so schnell an die neue Situation gewöhnen. Sie wurde wütend, er solle sich nicht so haben, er könne sich einsargen lassen mit seinen Wehwehchen, sie habe es satt, diese Gespenster aus seinem Kopf herauszuprügeln, sie dächte nicht daran, sich derartig mit ihm abzurackern, er solle nur auf dem Fußboden schlafen, da gehöre er hin, er wolle es ja nicht anders haben. Lenz widersprach nicht, aber als er dann auf einer Matratze neben dem Bett lag, war es ihm entsetzlich, ihren gleichmäßigen Atem zu hören. Sie schlief bald ein, Lenz blieb wach, bis es hell wurde. Als die Vögel mit ihrem Gebrüll anfingen, stand er auf, zog sich leise an, hinterließ ein paar Zeilen und ging aus dem Haus.

Am nächsten Tag nach der Arbeit ging Lenz zu seinem Freund. B. saß an seinem Schreibtisch und machte gerade eine Übersetzungsarbeit. Sie gingen in die Küche, setzten sich an den Küchentisch, rauchten eine Zigarette und warteten, bis das Wasser kochte. B.s zehnjährige Tochter kam in die Küche gelaufen, um Lenz eine Bildergeschichte zu zeigen, die sie gerade gezeichnet hatte. Die Geschichte handelte von zwei kleinen Mädchen, die sich im Wald verlaufen hatten und dann einem Trupp Guerilleros in die Hände gefallen waren. Die Mädchen verliebten sich sofort in die Guerilleros und fragten, ob sie bei ihnen bleiben könnten. Sie wollten nicht mehr zurück zu ihren Eltern, an den Hof des Kaisers, weil es ihnen dort viel zu langweilig war. Die Guerilleros erklärten ihnen, daß sie noch zu klein wären, um mit ihnen zu kämpfen, und wollten sie unbedingt zurückbringen. B.s Tochter fragte Lenz, wie die Geschichte nun weitergehen könnte. Lenz dachte nach, es fiel ihm nichts ein. Er horchte in sich hinein, er fühlte sich ertappt. B. nahm den Faden auf und entwickelte eine Fortsetzung der Geschichte. Die Tochter ging hinaus, um die Geschichte weiterzuschreiben.

Das Wasser kochte, und B. stand auf. Er füllte Wasser in die

Teekanne, goß den Inhalt der Kanne in den Ausguß, nahm die alten Blätter, die sich über dem Sieb des Abflusses sammelten, mit der Hand heraus, warf sie in den Abfalleimer, füllte mit derselben Hand neue Teeblätter aus der Teetüte in die Kanne, goß den Tee auf. Es war Lenz unangenehm, daß während dieses Vorgangs kein Wort gesprochen wurde. Er wollte irgendetwas sagen, um dem Vorgang seine Wichtigkeit zu nehmen, er wußte nicht was. Die ruhigen zielvollen Bewegungen von B., die Küche, in der jedes Ding seinen Platz und seine Geschichte hatte, das alles griff ihn an.

B. fragte Lenz, was er mache. Lenz sah ihn ratlos an, es ginge ihm gut, er arbeite in der Fabrik. B. wollte wissen, welcher Art seine Arbeit in der Fabrik wäre. Lenz erklärte ihm flüchtig den Arbeitsablauf. Wie lange, mit welchem Ziel Lenz dabei bleiben wolle, was er danach tun wolle. Sie gerieten in eine Diskussion über die politischen Aufgaben des Intellektuellen. Nach kurzer Zeit spürte Lenz schon wieder den Haß auf die fertigen Sätze, die er und B. benutzten. Seine Antworten wurden immer ungeduldiger, immer heftiger. Er schlug vor, das Gespräch abzubrechen, es sei alles nur Gerede, es sei zu fremd.

B. lud Lenz ein, Mensch ärgere dich nicht mit ihm und der Tochter zu spielen. Lenz willigte ein, sie setzten sich alle drei auf den Boden im Wohnzimmer. Lenz sah die Felder auf dem Spielbrett zerfließen, immer wieder mußten ihm die Regeln erklärt werden. Nach einer Weile fragte ihn B., was mit ihm los sei, warum er sich auf nichts konzentrieren könne. Lenz erklärte, er sei in einem schrecklichen Zustand, alles würde ihm entgleiten, er habe das Gefühl, aus der Welt herausgefallen zu sein. Lenz solle sich näher erklären. »Zum Beispiel heute im Bus«, erwiderte Lenz. Er habe kein passendes Kleingeld gehabt, um den Fahrschein zu lösen, der Schaffner habe ihn aufgefordert, sofort auszusteigen. Lenz habe sich an die nächststehenden Leute gewandt, ob sie ihm nicht aushelfen könnten. Sie hätten im Chor die Aufforderung des Schaffners wiederholt und gerufen: »Aussteigen, aussteigen!« Warum ihn diese kleine Szene so betreffe, fragte B. »Weil es so kalt ist, so unwirklich!« rief Lenz. »Nein, das ist es nicht, was ich meine, es ist zu lächerlich, ich meine etwas anderes.«

Er habe vor mehreren Tagen in einem spanischen Restaurant einen Flamencospieler betrachtet, der seinerseits von einem Deutschen betrachtet wurde. Der Deutsche habe sich dann von dem Sänger eine zweite Gitarre geben lassen und mitgespielt. Der Spanier habe neugierig und auch ein wenig geschmeichelt auf das Spiel des Deutschen geachtet, an seinem Gesicht habe man den Stolz erkennen können, mit dem er die Variationen des Deutschen an seinem eigenen Spiel maß. Der Deutsche dagegen habe sich mit seinen Augen an den Händen des Spaniers regelrecht festgesaugt, in seinem Gesicht habe sich ein unbeschreibliches Glück und eine Sehnsucht ausgedrückt, so groß und alt, daß es Lenz einen Stich gegeben habe. Er habe sich in diesem Augenblick unglaublich arm gefühlt.

B. fragte, was Lenz denn nun tun wolle, er teile nur Beobachtungen und Wahrnehmungen mit, die ihn untätig und hilflos machten. »Es ist wahr«, erwiderte Lenz, »ich habe den bösen Blick, ich sehe schon alles wie durch ein Vergrößerungsglas, das mir nur noch Widerwärtigkeiten zeigt. Immer hin- und hergerissen zwischen den Neurotikern und den Theoretikern, bei den einen die Leidenschaften, bei den anderen die Rettung suchend.« B. setzte ihm zu, er habe mit Freunden aus seiner Gruppe gesprochen, sie seien über Lenz' Unzuverlässigkeit verärgert, er verschleudere sein Leben, er solle sich ein Ziel stecken und dergleichen mehr.

»Und du mit deinen Ratschlägen«, rief Lenz erregt, »sage mir endlich, was dir gefällt, was du liebst. Ich meine nicht eine Idee, eine Vorstellung von der Zukunft, sondern etwas, das du jetzt hast, irgendwas. Kannst du deiner Frau sagen, daß sie schön ist, wenn du sie schön findest? Kannst du das, wenn du es sagst, auch empfinden? Verändert sich dein Gesicht, während du die Worte für deine Empfindung suchst? Kannst du, was du schön findest, verteidigen und nimmst du die Anstrengung in Kauf, die es kostet zuzugeben, daß etwas, was dir gefiel, dir jetzt nicht mehr gefällt? Kannst du deiner Frau sagen, was dich an ihr abstößt, und kannst du es dann

noch empfinden, während du es beschreibst? Kannst du ihr
sagen, daß du ihren Geruch nicht mehr ausstehen kannst, ohne
dem Kapitalismus dafür die Schuld zu geben? Ich weiß, daß
ihr es nicht könnt. Ihr könnt nur allgemein, in Begriffen sagen,
was ihr haßt oder liebt, ihr habt Angst davor, daß euch irgendetwas gefällt, weil ihr Angst habt, daß ihr dann nicht
mehr kämpfen könnt. Ihr könnt dann nicht mehr kämpfen.
Da ihr die Ziele eures Kampfes immer nur von den Lippen
eurer Gegner ablest, tritt nie eine Beruhigung ein, auch nicht,
wenn der Gegner besiegt ist. Da ihr nicht zuerst die neuen
Genüsse gesucht und entdeckt habt, um dann auf den Gegner
zu treffen, der sie uns und den Massen verweigert, erreicht
ihr höchstens den Genuß, der aus der Niederlage des Gegners
entsteht. Ihr wißt nicht, im Namen von was ihr kämpft, oder
ihr wißt es, aber ihr habt es nicht drin. Weil ihr nicht für
euer eignes Glück kämpft, verteidigt ihr auch nicht das Glück
anderer Leute. Ihr seid nicht angreifbar – weil ihr nichts zu
verteidigen habt – sondern nur Angreifer. Man kann euch tot-
schlagen, aber ihr seid nicht verwundbar.«
B. war verstimmt, Lenz ging, er fühlte sich miserabel.

Am Abend ging Lenz mit Freunden ein Bier trinken. Sie bau-
ten Türme aus Bierdeckeln, begannen dann, sich damit zu be-
werfen. Als die Bierdeckel überall herumlagen, bewarfen sie
sich mit Zehnpfennigstücken. Einer fing an, die Geldstücke
zwischen die Leute am Tisch gegenüber zu werfen. Die achteten erst nicht darauf, warfen sie dann zurück. Nun wurden
immer größere Geldstücke zwischen die Köpfe am anderen
Tisch geworfen. Schließlich nahm einer aus Lenz' Portemonnaie einen Fünfzigmarkschein, knäulte ihn zusammen und
warf ihn hinüber. Das war Lenz zuviel, er wurde wütend,
dann mußte er lachen. Er wunderte sich, daß so etwas einfach
ging, man mußte es nur einmal machen. Diesmal kam der
Geldschein nicht zurück, es blieb lange ruhig, Bruchstücke einer
Beratung, wie man diesem Angriff begegnen könnte, waren zu

hören. Am Tisch von Lenz wartete man, ob ein kleinerer, ein größerer oder gar kein Schein zurückfliegen würde. Schließlich wurde der Kellner an den Tisch gegenüber gerufen, Wein für beide Tische wurde bestellt, die anderen kamen herüber, man machte sich bekannt und ging erst nach mehreren Stunden auseinander.

Am anderen Morgen – Lenz hatte wieder kaum geschlafen, Schlaftabletten wirkten wie Aufputschmittel – faßte Lenz einen raschen Entschluß. Er ging in das Personalbüro und forderte ohne weitere Erklärung seine Papiere zurück. Er brachte seine Gitarre ins Leihhaus und bezahlte mit dem Geld zwei Monatsmieten im voraus. Er gab zwei Telegramme auf, eines an L., eines an B., in denen er seinen Entschluß mitteilte. Er verabredete sich mit dem Studenten Dieter aus der Betriebsgruppe, um ihm zu sagen, was er vorhatte. »Schließlich ist Sommer«, sagte Lenz, »und in drei Wochen macht ihr auch Ferien.« Die Gruppe habe sich die Aufgabe gestellt, diesmal gemeinsam zu verreisen, damit die privaten Beziehungen mit den politischen Schritt hielten. »Aufgabe, Aufgabe, habt ihr denn auch Lust dazu?« fragte Lenz. Diesmal hatte Lenz das Gefühl, daß Dieter Lenz' Verhalten nicht so fremd war, wie er tat. Sie verabschiedeten sich im Guten, und weil Dieter ihm keine Vorwürfe machte, hatte Lenz plötzlich ein schlechtes Gewissen. Er schluckte es herunter und holte seine Sachen. Auf dem Bahnhof löste er eine einfache Fahrkarte nach Rom. Als er im Zug saß, wunderte er sich, wie schnell alles gegangen war.

In den ersten Stunden der Fahrt achtete er nicht auf die Landschaften, die vor dem Fenster vorbeiflitzten. Es war ihm egal, wie die Städte hießen, die der Zug hinter sich ließ. Er hatte das Bedürfnis, möglichst wenig wahrzunehmen. Er wollte nur fahren, fahren. Die sich bewegenden Bilder vor dem Fenster vermischten sich mit den viel langsameren Bildern aus der Fabrik, in der er gearbeitet hatte, der Straßen, durch die er gelaufen war, der Gruppen, in denen er geredet und zugehört hatte. Der Zug riß alles mit sich fort.

Am Abend näherte sich der Zug den Alpen. Lenz wachte auf und sah sich im Abteil um. Das Abteil hatte sich mit neuen Passagieren gefüllt, die Lenz feindlich ansahen. Als sie in das dunkle Gebirge hineinfuhren, befiel Lenz eine unsinnige Angst. Er vergaß die Leute um sich herum und starrte aus dem Fenster. Breite Flächen zogen sich in die Täler, wenig Wald, nichts als felsige Linien und Zacken und weiter hinauf die steinigen Schluchten. Ihm fiel ein, wie er als Kind am Abend nach einer Bergbesteigung mit seinen Eltern auf die schwarzen Gipfel zurückschaute und sich vorstellte, er müßte jetzt zur Strafe noch einmal allein hinaufsteigen. Er klammerte sich an jede Einzelheit, er versuchte, Häuser und Wege zwischen den Hügeln zu unterscheiden, irgendein Lebewesen zu entdecken. Manchmal sah er ein Licht, sehr hoch auf einem Gipfel, aber dann bewegte es sich weiter und er wußte nicht, war es ein Haus oder ein Flugzeug. Dann sah er nur noch seine Augen im Fenster, die ins Dunkle starrten.

Lenz wurde früh wach. Auf einem Bahnsteig wurde der Name einer italienischen Stadt ausgerufen. Er behielt nur die Melodie des Ausrufs im Ohr, sie gefiel ihm irgendwie. Als der Zug wieder anfuhr, stand Lenz auf dem Gang des Wagens und ließ die Dörfer und die Landschaft an sich vorübersausen. In den Fenstern und auf den Höfen, in den schmalen Straßen von Haus zu Haus gespannt, überall hing Wäsche zum Trocknen. Auf die Mauern waren Kindersprüche und politische Parolen gemalt, die Lenz nur verstand, wenn ein Fremdwort darunter war. Die Farben der Häuser, rostrot und ockergelb, waren überall abgeblättert, die Wände leuchteten in so vielen Schattierungen, daß es Lenz schien, sie wären absichtlich so gemalt. Die hellgrünen Fensterläden mit dem Bogen am oberen Ende gefielen ihm. Er wußte selbst nicht, was ihm plötzlich an Fensterläden gelegen war. In dem viel helleren Licht erschien die Vegetation aufdringlich fett und farbig, das Licht war wie ein Zeigefinger, der auf jeden Gegenstand ausdrücklich zeigte. Lenz vermißte die Bezeichnungen für die meisten

Bäume und Sträucher. Er wollte darüber mehr sagen können als ein deutscher Nachbar zu seiner Frau sagte: schau mal, die Bäume da! und: Mensch, sind die rot!

Später, nach Mailand, lief er durch ein paar Waggons. Überall waren Gespräche im Gang, Kinder liefen herum, Brote wurden ausgepackt, Rotweinflaschen herumgereicht. Nach einiger Zeit wurde Lenz müde vom Zuschauen, die Lebendigkeit der Leute war zu stark für ihn, er setzte sich wieder in sein Abteil.

Zwischen Lenz und einer jungen Frau, die Lenz nur im Profil sehen konnte, weil sie unmittelbar neben ihm saß, entwickelte sich ein Blick-Gespräch. Genau wie Lenz starrte sie einen neu zugestiegenen Fahrgast an, der sofort nach dem Einsteigen auf dem Sitz eingeschlafen war. Sein Kopf rutschte in regelmäßigen Abständen von der Kopflehne. Er sah einem Schweinskopf so täuschend ähnlich, daß Lenz sicher war, der Frau neben ihm müßte im genau gleichen Augenblick, nur auf italienisch, das gleiche Wort einfallen wie ihm: Schweinskopf. Wenn der Kopf herabgerutscht war, schauten sie erst einmal woanders hin, aber immer, wenn er den unteren Punkt der Kopflehne wieder erreicht hatte, mußten sie unbedingt wieder hinschauen, bis er heruntersackte und sich schnarchend in die Ausgangslage brachte. Als sie das ein paarmal beobachtet hatten, nickte die junge Frau schon mit dem Kopf wie um ein Zeichen zu geben, daß der Schweinskopf jetzt heruntersacken müßte. Schließlich sahen sie sich, als wollten sie ihr eigenes Aussehen überprüfen, ins Gesicht, sie mußten lachen.

Ein junger Mann fragte Lenz auf italienisch, ob er tatsächlich der Schauspieler Soundso wäre, dem er so täuschend ähnlich sähe. Als Lenz verneinte, fragte er ihn, ob er denn wenigstens der Boxer Soundso wäre, er sei sicher, ihn irgendwo schon einmal gesehen zu haben. Er wartete Lenz' Antwort nicht ab und erzählte ihm und der jungen Frau, warum ihm vier Zähne fehlten. Ob sie nun wollten oder nicht, sie mußten sich sein Gebiß ansehen. Der junge Mann erzählte, daß er Boxer gewesen sei, bis das Unglück mit den Zähnen passierte. Er demonstrierte, wie er in der entscheidenden Runde gegen seinen

Gegner gekämpft hatte, wobei er Lenz in die Rolle des Gegners drängte. Mit genauen Bewegungen, die er mit verschiedenen Fachausdrücken bezeichnete, die Lenz zum Teil aus dem Langenscheidtkapitel über Straßenverkehr kannte, führte er den Schlagabtausch vor, der ihm die Zähne gekostet hatte. Während er wuchtig angesetzte Schläge gegen Lenz ausführte, die er kurz vor dem Aufprall abstoppte, versuchte er gleichzeitig Lenz zu zeigen, mit welcher Faust er jetzt auf welche Stelle treffen müsse. Er ließ erst von Lenz ab, als der mit einer rechten Geraden – »la destra, la destra« rief er, weil Lenz es erst mit der linken versuchte – seine Lippen berührt hatte, wobei er einen triumphierenden Schrei ausstieß. Er redete dann noch lange auf Lenz und die junge Frau ein. Lenz döste langsam ein.

Als Lenz in Rom auf den Bahnsteig hinaustrat, war der Anprall der fremden Geräusche und Stimmen so stark, daß er einen Augenblick lang benommen stehen blieb. Er stellte seinen Koffer neben einen Telefonapparat, der an eine Säule der Bahnhofshalle montiert war. Mehr durch Zeichen als durch Worte ließ er sich erklären, daß er zum Telefonieren bestimmte Münzen brauchte, die in den Tabakläden zu kaufen waren. Als er die Münze eingeworfen und gewählt hatte, kam ihm die Bahnhofshalle plötzlich viel kleiner vor. Es meldete sich niemand.

Er gab seine Sachen in ein Schließfach und ging auf die Straße. Er hatte das schon öfter gehört, aber es wunderte ihn trotzdem, daß es keine Schwierigkeiten machte, auch die belebteste Straße zu überqueren. Die Autos fuhren schneller als in Deutschland, aber sie bremsten auch schneller. Es schien nicht darauf anzukommen, wer im Recht war, der Fußgänger oder der Autofahrer, man mußte nur auf die nächste Lücke zulaufen, dann arrangierte man sich. Lenz ging in ein Cafe und bestellte einen Espresso und einen Grappa. Aus der

Musikbox kam die italienische Version eines Liedes, das Lenz auf englisch kannte, es war eine tiefe kraftvolle Frauenstimme, von einer dilettantischen Rhythmusgruppe begleitet, dazu Orgel und Geigen, eine Mischung aus Blues und Puccini. Es gefiel ihm, daß die Sängerin keinen Versuch machte, das englische Original nachzuahmen.

Als er eine halbe Stunde herumgelaufen war, kam er auf einen größeren Platz, auf dem Hunderte von fliegenden Händlern ihre Waren anboten. Vor dem Stand eines Geschirrverkäufers blieb er stehen. Er brauchte eine Weile, bis er den Trick verstand, mit dem der Verkäufer das Publikum an sich zog. Der Verkäufer ging mit dem Geschirr so um, als wäre es unzerbrechlich. Er haute auf einen Glasteller fünf Tassen übereinander, warf sie ein Stück in die Luft, fing sie im letzten Moment auf, knallte dann den ganzen Turm auf den Tisch, daß die Zuschauer meinten, er müßte zerspringen, schmetterte noch drei Untertassen obenauf, schlug nun, während er seinen Preis nannte, mit der flachen Hand so heftig auf den Tisch, daß der Geschirrturm klirrte und wackelte und ihm abgekauft wurde, eigentlich nur, um das Geschirr vor dem Herunterfallen zu bewahren. Lenz wurde mit dem Käuferstrom von Stand zu Stand geschwemmt, von überall wurde er angefaßt und herangezogen, man sprach ihn in allen Sprachen an, um ihn zu einem Kauf zu bewegen. Allmählich wurde es ihm lästig, daß er nicht dastehen und einfach zuschauen konnte, ohne eine Enttäuschung für den Verkäufer zu sein. Er nahm ein Taxi und fuhr zum Bahnhof zurück.

Freunde in Deutschland hatten ihm die Adresse einer Pension oberhalb von Rom in den Albaner Bergen gegeben. Eine etwa sechzigjährige Frau mit einem gewaltigen Busen und einer Stimme, die das ganze Haus füllte, zeigte ihm sein Zimmer. Sie gab Lenz zu verstehen, daß er das ganze Haus bewohnen könne, die Küche, das Wohnzimmer und den Garten. Lenz stellte seine Sachen in sein Zimmer und warf sich aufs Bett. Er sah sich um. Eine hölzerne Decke, ein breites Bett, das zu breit war für einen allein, ein schmaler Schrank, den seine paar Sachen immer noch leer lassen würden. Draußen auf dem Weg hörte er die Hufe eines Maultieres. Das fremdartige Geräusch stieß ihn darauf, daß er tatsächlich in diesem Zimmer war. Was wollte er hier, wie war er hierher geraten?

Er stellte sich vor, daß er morgen allein aufwachen würde. Er rannte hinaus in den Wind, die Wolken flogen dunkel und rasend wie die Gespenster in seinem Innern, er lief den Hang hinunter, es war ihm, als ob die Hügel sich hoben und senkten, er wollte alles berühren, jede Biegung, jeden Winkel, aber nicht laufend, sondern im Flug darüber hinstreifend, der Wind zerrte an seinen Gliedern, nichts war festzuhalten.

Er zwang sich, zur Pension zurückzukehren. Er saß dann lange im Garten, betrachtete den Balkon mit dem Holzgitter, die leeren Flaschen in dem zerrissenen Korbgeflecht, die mit Asche gefüllten Tonvasen, dann wieder die Eisenstreben unter dem Balkon, alles überdeutlich wie unter einem Vergrößerungsglas. Er ging hinauf auf sein Zimmer, er sah auf einen Innenhof, ein Gewirr von Kaminen und Balkons, Kinder in Unterhosen wurden von Vätern in Unterhemden zum Essen gerufen, ein Schwall von Geräuschen, Kochtöpfe, Vögel, Pingpongbälle, dazu die italienischen Laute, die von Balkon zu Balkon oder nach drinnen in allen Stimmhöhen gerufen wurden, überall war etwas erweitert oder ausgebaut worden, jeder Balkon war so etwas wie eine Falte im Gesicht der Familie, die ihn bewohnte. Er fühlte sich nicht mehr allein, er wurde ruhiger.

Nach einer Woche trafen deutsche Bekannte ein, die auf der Durchreise waren. Lenz freute sich wie ein Kind. Gierig hörte er allen Nachrichten aus Deutschland zu, bei allem, was berichtet wurde, nickte er, als hätte er nichts anderes erwartet. Auf die Frage, wie es ihm ginge, wußte er keine Antwort. Er erzählte Unzusammenhängendes über den Schweinskopf im Zug, die Wirtin, die mit einem Polizisten verheiratet und gleichzeitig eine Kommunistin war, die kleinen Kinder im Dorf, die ungestraft ihre Mütter schlagen durften. Beiläufig erwähnte einer der Bekannten, daß er L. vor seiner Abreise auf der Straße getroffen habe. Lenz fragte, ob sie allein war. Sie sei in Begleitung eines jungen Mannes gewesen, den er nicht kannte. Lenz redete noch zwei Stunden weiter, aber von nun an sprach und hörte er zu wie im Traum. Seine Gedanken klammerten sich fest an der Bemerkung über L. Er suchte nach einer Gelegenheit, darauf zurückzukommen. An welchem Tag der Bekannte L. begegnet sei? L. habe ihn aufgefordert, Lenz nichts von der Begegnung zu erzählen, fiel dem Bekannten jetzt ein, sie wolle nicht, daß Lenz sich weiter mit ihr beschäftige. Diese Nachricht nahm Lenz wie eine Erleuchtung. Seine kranke Phantasie ging nun alle gemeinsamen Freunde und Bekannten durch unter dem einzigen Gesichtspunkt, ob sie sich als Geliebte für L. eigneten. Als hätte sie es gestern gesagt, hatte Lenz eine Bemerkung von L. über den Studentenführer W. im Ohr. Sie hatte sich über seine schmalen Lippen lustig gemacht und dabei auffällig lange gelacht. Lenz war jetzt sicher, daß sich hinter diesem Lachen ein Erlebnis verbarg. Er sah L. vor sich, wie sie sich vor den Studentenführer hinsetzte und ihm mit empörender Genauigkeit Anweisungen erteilte, wo er sie streicheln sollte.

Nachts träumte Lenz dann, wie er in einem Hochhaus fünfzig Klingelschilder nach L.s Namen absuchte. Im ersten Stockwerk begann er, nach L. zu fragen, die Bewohner machten widersprüchliche Angaben. Sie schickten ihn in immer höhere Stockwerke, jeder schien L. zu kennen und zu verbergen, schließlich entdeckte Lenz L. auf dem Schoß eines Negers, während der Studentenführer W. mit den blassen Lippen zu Tode erschöpft oder wirklich tot hinausgetragen wurde.

Mitten in der Nacht wachte Lenz auf. Im Nebenzimmer hörte er eine Frau schreien. Er setzte sich auf, er überlegte, ob er hinüber gehen sollte. Als er richtig wach geworden war, merkte er, daß die Frau vor Lust schrie. Er war erleichtert, nach einer Weile wurde er ungeduldig. Hört denn das gar nicht mehr auf, dachte er, müssen sie es ausgerechnet neben meinem Zimmer machen, wo ich hier allein liege? Kaum war er wieder eingeschlafen, ging es von vorne los. Er hörte diesmal genauer zu. Warum hört man nur etwas von der Frau, fragte er sich. Am andern Morgen, als er mit den anderen beim Frühstück saß, war es ihm unglaublich, wie er sich in seine Phantasien hineingesteigert hatte. Es war ihm, als habe er die ganze Zeit an einem unsichtbaren Band gehangen, das sich desto mehr spannte, je weiter er von L. wegreiste.

Ein paar Tage später fuhr Lenz hinunter ans Meer. Er lief lange über den Sand, die Wellen, die sich am Strand brachen, schwappten weiter in sein Gehirn, der Wind blies Löcher hinein, steil über ihm schossen die Flugzeuge vom Flughafen Leonardo da Vinci in den Himmel. Der Strand war voll von Büchsen, Plastiktaschen, Zeitungsfetzen, Parisern, Schuhen, Flaschen, der Wind trieb ihm den Müll entgegen. Ein toter Hund lag am Strand, die Wellen zerrten an seinem Körper und bewegten ihn, als läge er im Sterben. Lenz ging in eine Trattoria, die auf Holzpflöcken im Meer stand. An der Musikbox wählte er auf gut Glück ein paar italienische Stücke. Die schweren, festlichen Beatlieder trafen sich mit dem Pfeifen und Donnern der aufsteigenden Flugzeuge und dem Schwappen der Wellen. Das Licht war betäubend hell, seine Augen waren zu eng, um alles aufzunehmen. Er folgte mit den Augen der Leuchtspur, die die Nachmittagssonne über das Meer zog bis zu dem Punkt, wo sie an den Himmel stieß. Dann war es plötzlich, als hätten seine Augen eine andere Brennweite angenommen, und alles, die Barackenhäuser, die Kräne auf der Mole, die Kinder, die schwarz vom Sand mit kleinen Netzen im Meer nach Muscheln suchten, standen scharf und deutlich vor ihm. Ein Mädchen, das an der Musikbox stand, sagte ihm, welche Nummern er wählen sollte. Sie kamen ins Gespräch, Lenz verstand, daß sie aus Rom kam und in einem Krankenhaus arbeitete. Sie liefen eine Weile zusammen über den Strand, das Mädchen schmiegte sich an ihn, sie sprachen nicht viel, er begleitete sie zum Bus. Dann saß er lange auf einem der weißen Steinpflöcke auf der Mole, an denen die

Fischerboote vertäut waren. Er folgte mit den Augen der dikken Biegung der Schlaufe, die selber aus vielen dicken Seilen gewunden war. Er folgte den leisen, zerrenden Bewegungen der Schlaufe, die von dem Stahlseil ausgingen, das mit der Schlaufe verbunden war. Er folgte den Bewegungen des Stahlseils, das die Bewegungen des Bootes weitergab, das an dem Stahlseil hing und das Auf und Ab der Wellen auf das Seil übertrug. Er erinnerte sich an nichts, er dachte keine Sekunde über den Augenblick hinaus. Er ging zur Bushaltestelle und fuhr nach Rom zurück. Als er ausstieg, war ihm übel vom Schauen und Herumlaufen.

Lenz ging es ziemlich schlecht. Stundenlang saß er in einem Cafe in der römischen Innenstadt und starrte auf die Balkenüberschriften der Zeitungen am Kiosk gegenüber. Wie bei einem Sehtest setzte er die Buchstaben zu Worten zusammen und suchte ihren Sinn zu erraten. Als er einmal die Worte ‹Polizia› und ‹Berlino› auf der ersten Seite fand, dazu ein Foto von einer Straßenschlacht, durchfuhr es ihn wie ein elektrischer Schlag. Er rief sofort Freunde in Berlin an und befragte sie nach den Einzelheiten. Auf Fragen schwärmte er ihnen von Rom vor und versicherte, es ginge ihm glänzend. Er schrieb viele Briefe an L., die er alle wieder zerriß, bevor er sie beendet hatte. Er ging öfter in Telefonzellen und blätterte die Telefonbücher durch, als wolle er jemanden anrufen. Manchmal fühlte er deutlich, wie er sich alles nur zurechtmachte. Er sah sich dann mit einem fremden Blick an, er redete auf sich ein, er ging mit sich um wie mit einem kranken Kind.

Als ihn im Park der Villa Borghese ein junger Mann ansprach, weil Lenz angeblich wieder einmal jemandem ähnlich sah, ließ er sich in ein Gespräch ein. Der junge Mann behauptete, ein Filmproduzent zu sein, dem nur noch der Hauptdarsteller für sein nächstes Projekt fehle. Als Lenz das Angebot abwehrte, schlug er Lenz sofort die Rolle des Regisseurs vor. Zum Beweis, daß er es ernst meine, zog er eine Filmrolle aus der Tasche und hielt ein Stück Film gegen das Licht. Lenz sah nur Schwarzfilm, aber der junge Mann rollte die Rolle immer weiter auf, Lenz werde schon sehen. Er bat Lenz, ihn auf seinem Spaziergang begleiten zu dürfen. Lenz lehnte nicht ab. Als der junge Mann mit einem Blick auf Lenz' Mantel andeutete, daß ihm kalt sei, half Lenz ihm hinein. Sie erreichten die Spanische Treppe, und Lenz gab eine Verabredung vor, um seinen Begleiter loszuwerden. Er streckte die Hand nach seinem Mantel aus, die sein Begleiter erstaunt ergriff, als wolle er damit sagen, daß der Handschlag in Italien nicht üblich sei. Lenz forderte nun energisch seinen Mantel zurück, der junge Mann tat, als verstehe er ihn nicht, und zog die Filmrolle aus der Tasche, als wäre es das, was Lenz wollte. Lenz faßte ihn nun beim Mantelkragen und begann, den Mantel aufzuknöpfen, wobei er wütend lachte. Der junge Mann drückte mit beiden Ellbogen entrüstet Lenz' Arme zur Seite und lachte ebenfalls. Er zog immer mehr Film aus der Tasche und warf ihn Lenz um den Hals. Einige Passanten wurden aufmerksam und fragten den jungen Mann, was los sei. Lenz verstand die Flüche nicht, mit denen der junge Mann ihre Fragen beantwortete, er hörte nur in zahlreichen Zusammenstellungen das Wort ‹porco› heraus. In seiner Erregung sprach Lenz deutsch, während der junge Mann immer wütender Lenz' knöpfende Hände abwehrte. Schließlich mischte sich ein älterer Passant ein und riß Lenz die Arme von seinem Mantel weg, so daß er nur einen Knopf in der Hand behielt. Der junge Mann eilte, immer wieder empört zurückschauend und fluchend, in Lenz' Mantel und mit seinem Portemonnaie davon.

Als Lenz ohne Geld und Mantel dastand, wurde er plötzlich fröhlich. Zum ersten Mal sah er sich die Leute, die ihm entgegenkamen und an ihm vorüber gingen, wieder genauer an. Einige von ihnen trugen einen Sommermantel. Und jeder hat ein Portemonnaie in der Tasche, dachte Lenz. Das kam ihm jetzt bemerkenswert vor. In einem Schaufenster sah er ein paar Schuhe, die ihm gefielen. Er ging in das Schuhgeschäft, ließ sich die Schuhe zeigen, zog seine alten aus, und während er die

Verkäuferin nach ein paar anderen Schuhen schickte, hatte er die neuen schon angezogen und lief, seine alten Schuhe zurücklassend, aus dem Schuhgeschäft hinaus. Er rannte um ein paar Ecken und freute sich, daß die Schuhe nicht drückten.

In seiner Hosentasche klingelte noch was. Als er hineingriff und ein paar Telefonmünzen hervorholte, fiel ihm ein, eine Schauspielerin anzurufen, die in Rom wohnte und die er vor ein paar Jahren in Deutschland kennengelernt hatte. Vielleicht konnte sie ihm Geld leihen. Als er ihre Nummer im Telefonbuch gefunden und gewählt hatte, war er überrascht, daß sie gleich antwortete. Lenz hörte mehr auf ihre Stimme als auf das, was sie in überstürztem Italienisch sagte. Die Stimme erkannte er sofort wieder. Manchmal war sie nicht von einer Männerstimme zu unterscheiden, im gleichen Satz konnte sie in den höchsten Sopran überschlagen. Sie fragte ihn, wie lange er schon in Rom sei, warum er nicht schon längst angerufen habe. Lenz wußte selber nicht warum. Dann merkte er, daß ihm nicht eingefallen war, sie anzurufen, weil er gefürchtet hatte, sie wolle nichts mehr von ihm wissen. Pierra fragte ihn dann, wo er wäre, und beschrieb ihm umständlich das Kaufhaus, vor dem sie auf ihn warten würde. Sie müsse sich sowieso noch ein paar Strümpfe kaufen.

Er erinnerte sich, daß sie schon einmal in Berlin zusammen Strümpfe gekauft hatten. Er sah ihre ziemlich dicken Beine in den neu gekauften Netzstrümpfen vor sich. Sie wollte unbedingt, daß er den Preis herunterhandelte, es gelang ihm nicht, ihr klar zu machen, daß so etwas in Deutschland nicht ging. Sie bestand darauf, daß er es versuchte, und als er keinen Erfolg hatte, war sie immer noch überzeugt, daß er es nur nicht richtig gemacht hatte. Er erinnerte sich, daß es ihn erleichtert hatte, Pierras komische Beine genau zu betrachten, ohne daß seine Lust auf sie nachließ. Erleichtert hatte ihn, daß er seine Wahrnehmung eines Frauenkörpers nicht mit einer vorher fertigen Vorstellung verglich.

Als er vor dem Kaufhaus stand, schaute er allen Frauen auf die Beine, weil er sicher war, er würde Pierra im Moment am ehesten an ihren Beinen wiedererkennen. Pierra kam mit einer Freundin und zeigte schon von weitem auf Lenz, mit einer Geste, als könne sie es nicht glauben, daß ausgerechnet er Lenz sein sollte. Einen Augenblick lang stritt in Lenz die Unsicherheit darüber, welche Veränderungen ihr als erstes an ihm auffallen würden mit der Freude, sie wiederzusehen. Als sie auf ihn zuging, wurde er plötzlich stocksteif, er konnte sich nicht von der Stelle rühren. Erst, nachdem sie ihm um den Hals gefallen war und ihn zweimal herumgewirbelt hatte, spürte er eine heftige Freude. Pierra stellte Lenz keine Fragen, was er in den letzten drei Jahren gemacht habe, wie er hierher gekommen sei, wie es ihm ginge, sie sah ihn nur an und erzählte ihrer Freundin sofort alles Mögliche über Lenz, das er nicht verstand. Sie erledigten den Einkauf und verabschiedeten sich von der Freundin.

Als sie in Pierras Wohnung ankamen, warf sie die Einkaufstasche aufs Bett und zog Lenz in die Küche. Ihre Stimme und ihr Aussehen veränderten sich. Lenz fiel auf, daß sie dicker geworden war. Die Bewegungen in ihrem Gesicht waren langsamer geworden, als wären sie auf ein Hindernis gestoßen. Pierra drückte Lenz an die Wand und tastete seinen Körper ab. Er war überrascht, er hielt ganz still. Er hatte das Gefühl, daß sie sich mit den Händen an ihn erinnern wollte. Sie ließ von ihm ab und begann jetzt, ihn auszufragen. Lenz antwortete widerwillig, er wollte wissen, ob sie ihn verändert fände. Sie antwortete pathetisch. Er mache den Eindruck eines Kriegers, der in eine Schlacht gezogen und verwundet daraus zurückgekehrt sei. Lenz wollte nicht wissen, was sie damit meinte, es war ihm lästig, daß er sich überhaupt nicht verstellen konnte.

Pierra merkte, daß er nicht über sich sprechen wollte, sie machte Tee, sie setzten sich aufs Bett. Sie nahm seine Hand und las ihm daraus die Antworten auf die Fragen vor, die sie eben gestellt hatte. Es ärgerte Lenz, daß er den meisten ihrer Behauptungen zustimmen mußte. Wo sie das gelernt habe, ob sie an die Handleserei glaube. Das sei doch gleichgültig, er solle nur sagen, ob sie recht habe. Die Einfachheit, mit der Pierra sein Leben vor ihn hinstellte, alles auf wenige Gesetze zurückführte, die sein Leben antrieben, beeindruckte Lenz. Pierra machte sich lustig über Lenzens Betroffenheit, er glaube ja mehr ans Handlesen als sie. Lenz wollte wissen, welche Erfahrungen sie damit habe, welche Wahrheitsbeweise es dafür gebe. Sie erklärte ihm, daß die linke Handhälfte die nach außen gerichteten Energien des Menschen ausdrücken, während die rechte die Kräfte zeigt, die im Unbewußten wirken, daß die wichtigsten Linien schon bei der Geburt ausgeprägt sind und mit dem Tod aus der Handfläche verschwinden.

Sie nahm dann seine linke Hand, verglich sie mit der rechten, machte ein besorgtes Gesicht, schaute noch einmal hinein und schob sie sich zwischen die Beine. Dabei schaute sie ihm neugierig ins Gesicht. Lenz war erst zu überrascht, um zu reagieren, dann spürte er eine ruhige Gier, überall in seinen Gliedern und in seinem Kopf klingelte es, er hatte Lust, sich unter sie auf den Boden zu setzen und sich allmählich an ihrem Körper hochzuarbeiten. Als er in sie eindringen wollte, erschrak er. Sie schrie »nein, nein« und beschimpfte ihn. Aber als er von ihr abließ, beschimpfte sie ihn deswegen. Das wiederholte sich mehrere Male. Schließlich begriff er, daß sie einen Kampf mit ihm wollte, er wich ihm nicht aus. Später lagen sie lange ruhig nebeneinander, sie hatten kein Bedürfnis mehr, sich anzufassen oder miteinander zu sprechen.

Alte, versunkene Bilder tauchten wieder auf, das Stück einer Straße, durch die er mit L. gefahren war, der Geruch von Möbeln in einem Zimmer, in dem er vor zehn Jahren gewohnt hatte, ein Waldweg, auf dem er als Kind entlanggegangen war, alles in einer Rückwärtsbewegung wie bei einem Film, den man verkehrt herum abspult. Dann fielen ihm Schimpfwörter ein, die er seit Jahren nicht mehr gebraucht hatte, er beschimpfte seinen Vater, seinen Lehrer, den Kritiker, schließlich L. wegen irgendwelcher Kleinigkeiten, aber mit Worten, die sie in den Boden versinken ließen. So stieg er von Beschimpfung zu Beschimpfung, bis er wieder bei Pierra im Bett war.

Nachts saßen sie dann im Kolosseum und schauten über die Stufen hinab zu den Säulenstümpfen, die aus dem Grund der Arena ragten. Pierra erklärte ihm das Flüstern und Lachen, das von überall her aus den Ecken und Nischen des Kolosseums drang. Nachts, wenn die Touristen gegangen waren, wurde das Kolosseum zum Treffpunkt sämtlicher sexueller Minderheiten, der Schwulen, der Lesbierinnen, der Transvestiten. Sie erzählte ihm dann, wie sie sieben Jahre lang, bevor sie Schauspielerin geworden war, in einer dunklen Stube im Souterrain saß und für andere Leute nähte. Während sie nähte und nähte, türmten sich in ihr die Wunschgebirge auf, die sie jetzt als Schauspielerin abtrug. Als Lenz sie kennenlernte, lebte sie nach dem Prinzip, jeden Wunsch, sobald er auftauchte, zu packen und zu verwirklichen. Sie ließ keine Einwände gelten, weder die ihrer Umwelt noch die ihres Gewissens. Damals fand sie es richtig, mit so vielen Männern zu schlafen wie möglich. Sie tat es, bis es ihr langweilig wurde. Danach hatte sie mit einer Frau gelebt, die eine Fabrik leitete, sich aber in ihren vier Wänden Pierras Wünschen und Launen vollkommen unterwarf. Später war sie an einen Masochisten geraten, sie wußte nicht, ob sie ihn erst dazu gemacht hatte oder ob er von Anfang an einer war. Ihre Verhältnisse waren immer dann zuende, wenn sie ihren Partner von sich abhängig gemacht hatte.

Sie war überzeugt gewesen, daß die Frauen stärker seien als die Männer, daß jede wirkliche Frau versuche, den Mann zu zerstören, mit dem sie lebe, und daß dieser Todeskampf mit jedem neuen Mann von neuem beginne. Später merkte sie, daß sie immer auf der Suche nach einem Mann war, der es schaffte, sie von sich abhängig zu machen und zu unterdrücken. Sie war begeistert von SS-Uniformen, von Mao Tse-tung, von de Gaulle. Sie wollte von einem Mann an die Wand geworfen, zu seiner Dienerin gemacht und abhängig werden, aber in

Wirklichkeit richtete sie es immer so ein, daß es umgekehrt lief. Schließlich mochte sie mit niemandem anfangen, sie mußte sich übergeben, wenn sie mit jemand geschlafen hatte. Die menschlichen Ruinen, die sie hinter sich ließ, begannen sie zu erdrücken.

Eine Freundin machte sie mit einer Analytikerin bekannt, und nun unterwarf sie sich mit der gleichen Entschiedenheit den Deutungen der Analytikerin, mit der sie sich vorher die Männer unterworfen hatte. Sie war so hingerissen von ihrer Analytikerin, daß sie alle ihre früheren Freunde und Freundinnen dazu zu überreden versuchte, sich bei ihr in Behandlung zu begeben, was meistens nur am Terminplan der Analytikerin scheiterte. Auf der Couch der Analytikerin wurde ihr klar, daß sie nicht aus Stärke, sondern aus Angst die Rolle der Brunhilde gespielt hatte. Sie war streng katholisch erzogen worden und vaterlos aufgewachsen, aber ihre Mutter hatte sie schon als ganz junges Mädchen an ihren Affären teilnehmen lassen und ihren Liebhabern zur Verfügung gestellt. Sie lernte, sich selbst als Opfer zu begreifen und war nun der Ansicht, daß sie aus Rache die Unterdrückerrolle an sich gerissen hatte, die in der Regel die Männer ihren Frauen gegenüber spielten. Sie habe alle Männer besiegt, mit denen sie bisher zusammen war, aber nun wolle sie nicht mehr siegen, sie wolle endlich besiegt werden. Mit Lenz würde sie vielleicht leben können, aber er suche nach einer Frau, die es nicht gebe, die nur in seinem Kopf herumspuke.

Lenz mochte nicht antworten. Das geile Geflüster in den Ecken, das Licht der Scheinwerfer, die die Mauern des Kolosseums anstrahlten und einen Widerschein auf das leidenschaftliche Gesicht Pierras warfen, brachte ihn noch mehr durcheinander. Er mochte nicht mit ihr nachhause gehen. Als sie sich voneinander verabschiedeten, schlug Lenz vor, am nächsten Tag ans Meer zu fahren.

Am anderen Tag nahmen sie den Zug nach Ostia. Es war ein windiger Tag, am Himmel hingen die Wolken tief, aber in unregelmäßige Massen zerrissen, bald groß und schwarz, dann wieder hell und durchscheinend, der Wind trieb sie in großem Tempo landeinwärts, vereinzelt brach die Sonne durch und warf in raschem Wechsel einen Lichtkegel auf eine Ansiedlung oder auf einen Streifen der Landschaft, unter dem niedrigen Himmel wirkte die Landschaft noch flacher als sonst, alles rückte wie in einem Hohlspiegel in die Breite. Aus irgendeinem Grund mußte der Zug auf freier Strecke halten. Als die Bremsen quietschten und der Zug zum Stehen kam, erinnerte sich Lenz an einen auf freier Strecke haltenden Zug, dem sich Tiefflieger näherten, die Leute rannten über ein Feld auf ein Waldstück zu, um sich dort zu verbergen, aber jemand in dem Abteil riet Lenz' Mutter, im Wagen zu bleiben, der Wald sei ein besseres Ziel als der Zug, im Wald lägen schon viele Tote herum. Sie warteten, bis der Angriff vorüber war, allmählich kamen die Leute aus dem Wald zurück, niemand wußte, ob es alle waren, der Zug fuhr weiter. Dann fiel ihm ein, daß er den ganzen Krieg über in Zügen gefahren und nirgends länger als ein halbes Jahr geblieben war. Er erzählte Pierra davon, sie wollte mehr wissen, er mochte sich nicht weiter darauf einlassen. Er sagte: »Vielleicht hängt es tatsächlich mit diesen frühen Fahrten, diesem ständigen Unterwegssein zusammen, daß ich mich später immer, wenn ich unterwegs war, eher zuhause fühlte, als wenn ich irgendwo blieb und mich einzurichten versuchte. Jetzt, wo der Zug steht, merke ich, daß ich in Situationen, in denen ich mich für eine längere Zeit festlegen mußte – einen Zweijahresvertrag für eine Wohnung unterschreiben, einen Job übernehmen, der mich über Jahre festhalten sollte – ein ganz ähnliches Gefühl hatte: daß eben so ein Zug auf freier Strecke stehen geblieben ist, der eigentlich gleich weiter fahren muß.«

Pierra wollte ihn unbedingt mit ihrer Analytikerin bekannt machen, Lenz lehnte ab. Sie blieben nicht lange am Meer.

Freunde von Pierra luden die beiden ein, zu einem Fest mitzukommen. Sie steckten Lenz in einen Anzug, dessen Hosenbeine ihm etwas zu kurz waren. Lenz protestierte, aber sie bestanden darauf, ohne Anzug könne er da nicht hingehen. An der Piazza del Popolo wurden sie abgeholt. Sie fuhren zu einem Haus, das mitten in der Stadt an einem kleinen, nur durch eine schmale Gasse erreichbaren Platz lag. Die Enge des Platzes, die schmale Toreinfahrt ließen nichts von der Größe des Hauses erkennen. Man fuhr in einem Fahrstuhl ein Stockwerk hoch und stand in einem riesigen Salon. Die Halle hätte ausgereicht, die Belegschaft einer mittleren Fabrik unterzubringen. In ihrer Mitte standen zwei Säulen aus rotem Marmor, die offensichtlich weniger die Decke als das Weltbild des Hausherrn abstützten. Zwischen den Säulen in einem Abstand von fünf Metern waren zwei mit Samt bespannte Kanapees aufgestellt, von denen aus die Gäste sich nur rufend verständigen konnten. Als Lenz sich mit Pierra auf eines der Kanapees setzte, stachen ihm und allen, die neben ihnen und gegenüber saßen, das weiße Stück Bein in die Augen, das zwischen dem Ende seiner Socken und dem Hosenaufschlag sichtbar wurde. In dieser Umgebung wirkte das unbedeckte Stück Bein wie ein Signal aus einem Hitchcock-Film, ein Leichenbein, das plötzlich aus dem Wasser auftaucht. Lenz sprang auf.

Als er mit Pierra durch den Salon ging, wunderte er sich, daß in allen Gesprächen, die er unterwegs aufschnappte, von Politik die Rede war. Ein blasser junger Mann, den Pierra als Millionär bezeichnete, erzählte von seiner Doktorarbeit über die Frühschriften von Marx. Ein Schweizer-Franken-Millionär erläuterte einem Lire-Milliardär, warum er seine Mitgliedschaft in der reformistischen KPI nicht länger mit seinem politischen Gewissen vereinbaren könne. Lenz schien es, daß die Blicke und Gesten, mit denen sie ihre Reden begleiteten, zu ganz anderen Sätzen paßten als zu denen, die sie sagten. Als z. B. ein Rechtsanwalt sagte, die Bomben von Mailand kämen der Regierung so recht, daß sie vom Ministerpräsidenten persönlich gelegt sein könnten, erschien Lenz das Lachen dazu übertrieben laut. Er konnte sich das nur so erklären, daß der Rechtsanwalt in Wirklichkeit über etwas ganz anderes lachte. Bei der Antwort der Gesprächspartnerin verstand Lenz dann wieder nicht, warum sie in einen zärtlichen Ton verfiel.

Als der Rechtsanwalt sie nun mit einer verführerischen Geste beim Arm ergriff, glaubte Lenz eine Schmeichelei gehört zu haben. Rief er sich dann die Worte des Rechtsanwalts ins Gedächtnis, so war es nur ein Satz über einen Staatsanwalt. Jetzt machte der Rechtsanwalt seiner Partnerin wirklich ein Kompliment wegen ihres Kleides. Dabei sah er sie aber so spöttisch an, als wollte er sagen: »Merken Sie nicht, wie lächerlich Sie sich machen! Ein so schönes Kleid über Ihr reizloses Gerippe zu hängen!«

Immer, wenn Lenz auf das hörte, was gesagt wurde, verstand er die Gesten nicht, die die Reden begleiteten, achtete er auf die Gesten, so verstand er nicht, was gesagt wurde. Die Gäste kamen ihm jetzt wie Taubstumme vor, die mit ihren Mundbewegungen nur reflexhaft die viel deutlichere Sprache ihrer Mienen und Hände begleiten. »Warum reden sie nur lauter Dinge, die sie gar nicht meinen?« fragte Lenz Pierra.

Je mehr Lenz sich in der Halle umtat, desto mehr erschien ihm alles gestohlen, Ergebnis von Anstrengungen, an denen diese Leute bestimmt nicht beteiligt waren. Aus den Lautsprecherboxen kamen gedämpft die Lieder der Rolling Stones. Niemand tanzte. An den Wänden sah Lenz Bilder, auf denen die Leiden und Kämpfe der arbeitenden Massen dargestellt waren. Pierra nannte den Namen des Künstlers, Guttuso, und schätzte den Preis dieser Bilder. Sie waren nur für Leute erschwinglich, die für die dort dargestellten Leiden mitverantwortlich waren. Noch die langen Haare, die die Männer trugen, waren nicht ihre eigenen. Sie waren von Leuten erfunden worden, die von ihren jetzigen Nachahmern als Gammler verachtet worden waren. Die Kleider und Schuhe unterschieden sich von billigeren Kleidern und Schuhen hauptsächlich dadurch, daß sie gebraucht wirkten, obwohl sie neu waren. In den meisten Fällen handelte es sich um aus teuren Stoffen gefertigte Nachahmungen von Kleidungsstücken, die als Gebrauchs- und Arbeitskleidung dienten. Filmregisseure in stilisierten Matrosenjacken begrüßten Autoren, die ihnen in einer Uniform der roten Armee oder in luxuriösen Bluejeans zuwinkten.

Lenz mischte sich in ein Gespräch zwischen Pierra und einem jungen Filmschauspieler, dessen Latzhosen das genaue Abbild der Arbeitskleidung eines Tankwarts waren. Er erzählte, daß er sich gerade auf die Hauptrolle in einem Film über Che Guevara vorbereite. Pierra war so gefangen von seinen Erzählungen über das Tagebuch Che Guevaras, daß es Lenz nicht gelang, sie von ihm weg auf den Balkon zu ziehen. Als dort aus Anlaß des Geburtstages des Hausherrn ein kleines Feuerwerk entzündet wurde, ging Lenz in eine Ecke des Balkons. Während die Feuerwerkskörper in den Himmel schossen, nahm Lenz einfach ein paar Blumentöpfe, die dort standen, und ließ sie, einen nach dem anderen, auf den Autodächern unter dem Balkon zerschellen. Die Gäste, deren Augen in den Himmel gerichtet waren, schrieben den Knall den Raketen und Knallfröschen zu und klatschten jedesmal Beifall. Lenz nahm Pierra am Arm und verließ mit ihr das Fest. Pierra verstand überhaupt nicht warum. Als er ihr später die Geschichte erzählte, wurde sie wütend auf Lenz und Lenz auf sie.

Lenz traf sich mit Pierra, so oft sie Zeit hatte. Es machte ihr Spaß, ihn überallhin mitzunehmen, ihm Rom zu zeigen, ihn nach seinen Eindrücken zu fragen. Sie führte ihn nur an Orte, mit denen sie ein eigenes Erlebnis verband. Fragte er gelegentlich nach der Geschichte eines Palazzo oder eines Platzes, der ihm auffiel, so verwies sie ihn an ihre Freunde. Lenz wäre von selber nicht auf solche Fragen gekommen. Aber Pierras Leidenschaft, ihre Gegenwart in ihre Kindheit zurückzuverfolgen, entsprach irgendwie dem Charakter der Häuser und Plätze, die ihrerseits ständig ihre Vergangenheit zur Schau stellten. Lenz wunderte sich, daß ihm die Leute in dieser mit Denkmälern und Ruinen vollgestopften Stadt viel lebendiger und phantasievoller vorkamen als in den geschichtslosen Städten, die er aus Deutschland kannte. Ein ähnliches Gefühl verband er mit Pierra. Obwohl sie alles, was ihr geschah, mit irgendwelchen Ereignissen aus ihrer Vergangenheit in Zusammenhang brachte, schien sie ihm stärker im Augenblick zu leben als er selber. Lenz teilte ihr diese Beobachtung mit. Er sagte, er könne sich zum ersten Mal vorstellen, daß dieses angstlose Zusammenleben mit der Vergangenheit es einem erleichtere, sich in der Gegenwart einzurichten.

Ihre Beziehung veränderte sich. Die Spannung, die sich in den ersten Tagen zwischen ihnen hergestellt hatte, löste sich in eine eher geschwisterliche Beziehung auf. Pierra gab die Ratschläge, die ihr die Analytikerin erteilte, sofort an ihn weiter und nötigte ihn so, sich von ihr abzugrenzen. Sie kümmerte sich um ihn mit einer Art ferngesteuerter Sorgfalt, die Lenz sich gefallen ließ. Sie sagte ihm, was und wieviel er essen sollte, sie zeichnete ihm Pläne, die anzeigten, wie er an diese oder jene Stelle der Stadt gelangte, sie nähte ihm Knöpfe an, sie weigerte sich, mit ihm zu schlafen.

Ihre Freunde, mit denen sie ihn zusammen brachte, hatten ebenfalls mit dem Theater oder dem Film zu tun, und wenn sie nicht gerade dabei waren, eine Analyse zu machen, so bereiteten sie sich darauf vor. Lenz ging es bald auf die Nerven, mit welchem Spürsinn sie der Bedeutung eines zufälligen Satzes oder einer Geste nachgehen konnten. Sie nahmen nichts wörtlich. Wenn Lenz über Kopfschmerzen klagte, hielten sie es für eine Ausrede. Sie fragten ihn solange aus, bis er zugab, daß ihn noch etwas anderes bedrückte, aber davon gingen seine Kopfschmerzen nicht weg. Er nahm dann demonstrativ eine Kopfschmerztablette. Wenn einer sich über die spitze Bemerkung eines anderen ärgerte, so ergriffen sie nicht für den einen oder anderen Partei, sondern fragten ihn als erstes, woran ihn diese Bemerkung erinnere. Wenn sie über einen Film oder über ein Theaterstück sprachen, so sprachen sie nur über die Szenen und Figuren, in denen sie sich selber wiedererkannten. Redeten sie von Politik, so nur über einzelne Politiker, von denen sie ein Charakterbild zeichneten. Sie interessierten sich nicht für gesellschaftliche Vorgänge, aber für ihre Träume fühlten sie sich verantwortlich.

Anders als bei Pierra, die sich ihrer Analytikerin vollkommen auslieferte, erschien Lenz bei den meisten ihrer Freunde dieses ständige Zurückgehen in die eigene Vergangenheit als ein Gesellschaftsspiel, in dem die Beteiligten die Langeweile und das Desinteresse an ihrer Umwelt verdeckten. Lenz ärgerte sich, daß er am Anfang so viel von sich erzählt hatte. Die Widerstandslosigkeit, mit der jeder von sich und seinen Problemen sprach, erschien ihm mehr und mehr als ein Mittel, ihre Lösung hinauszuschieben. Einer, der bei jeder Gelegenheit die Schäden aufzählte, die ihm seine Eltern zugefügt hatten, wies die Anregung, endlich von zuhause wegzuziehen, als absurd zurück. Später erfuhr Lenz, daß er vom Geld seiner Eltern lebte. Ein anderer beschrieb in allen Einzelheiten die Abhängigkeiten von seiner Frau, die er auf ein gestörtes Mutterverhältnis zurückführte. Aber in seiner Weigerung, sich von ihr zu lösen, erblickte Lenz mehr und mehr das Bedürfnis, die Abhängigkeit fortzusetzen.

Lenz ging dazu über, seine Gesprächspartner mit Vorgängen zu konfrontieren, die überhaupt nichts mit ihnen zu tun hatten. Teils aus Trotz, teils aus Interesse begann er, systematisch die Zeitungen zu lesen und Pierras Freunde durch Fragen nach den Anlässen der zahlreichen Demonstrationen zu provozieren. Er erklärte Pierra, was er empfand. Ihre Freunde, behauptete er, bewegten sich in einer ähnlich geschlossenen Welt wie die politischen Gruppen, in denen er es nicht mehr ausgehalten habe. Führten jene jeden Konflikt, auch noch den privatesten, auf den Widerspruch zwischen Kapital und Arbeit zurück, so versteiften sich diese darauf, jeden Konflikt, auch noch den gesellschaftlichsten, aus der Familiensituation abzuleiten. Er wüßte nicht, welche von beiden Gruppen verrückter sei, nur, welche ihm lieber sei.

Später traf B. in Rom ein, der mit einem italienischen Verlag über eine Veröffentlichung verhandelte. Lenz holte ihn vom Flugplatz ab. Es war ihm lästig, daß B., kaum daß sie sich begrüßt hatten, auf deutsch diese Fragen stellte, die Lenz schon fast vergessen hatte: »Wie geht es dir, was machst du, bist du mit deiner Arbeit vorangekommen?« Lenz hatte diese Fragen nie ausstehen können, aber jetzt, wo er sie solange nicht mehr gehört hatte, waren sie ihm doppelt lästig.

71

Nicht nur, weil man sie in der Regel nur mechanisch, also ohne darüber einen Kontakt zum Gesprächspartner herzustellen, beantwortete. Solche Fragen machten es unmöglich, einen Kontakt zur eigenen Antwort herzustellen. Man war gezwungen, sich auf irgendein Ergebnis festzulegen, ohne sich und dem Gesprächspartner begreiflich machen zu können, wie es überhaupt dazu gekommen war. Deswegen waren Antworten wie »ja, es geht mir gut, ja, ich bin vorangekommen« eigentlich immer falsch, auch wenn sie richtig waren. Man wußte selber nicht, was man damit meinte, und der Gesprächspartner wußte es deswegen natürlich auch nicht. Gab man aber eine negative Antwort wie »miserabel geht's mir«, oder »keine Spur, ich mache nur Rückschritte«, so wollte der Frager sowieso nicht wissen, warum. Später, als sie im Taxi nach Rom saßen und B. sich über die Fahrweise der Italiener wunderte, kamen sie ins Gespräch.

B. blieb nur zwei Tage. Er schlug Lenz vor, mit ihm und einem italienischen Studenten nach Norditalien zu fahren, er sei gebeten worden, an der Universität in Trento einen Vortrag zu halten. Die Vorstellung, in einem ziemlich neuen großen Fiat über die Autobahn nach Norditalien zu brausen, gefiel Lenz. Am andern Morgen saßen die drei im Auto und suchten nach den Autobahnschildern Richtung Bologna. B. wollte wissen, wie Lenz die Zeit in Rom verbracht habe. Lenz erzählte ihm einiges von den Leuten, die er auf dem Fest in Rom getroffen hatte. Es ärgerte ihn schon wieder, daß B. alles, was Lenz erzählte, bereits zu wissen schien. Wenn Lenz sich darüber wunderte, daß so viele reiche Leute in der kommunistischen Partei waren, erwiderte B., das sei doch klar, weil eben die kommunistische Partei deren Interessen schütze. Wenn Lenz beschrieb, wie die Leute auf dem Fest angezogen waren, fragte B., ob Lenz etwa geglaubt habe, daß die Bourgeoisie noch irgend so etwas wie eine eigene Kultur hervorbringen könne. Es war Lenz unmöglich, irgendeine Beobachtung mitzuteilen, die für B. im mindesten überraschend gewesen wäre. Wieso Lenz überhaupt dahin gegangen sei, frage B. Lenz erwiderte, was B. über die Bourgeoisie wüßte, sei ihm ebenfalls bekannt gewesen, trotzdem sei er hingegangen und trotzdem sei er überrascht gewesen. Um B. zu ärgern, erfand Lenz rasch einige Erkenntnisse: »Ich habe entdeckt, daß ich für die Privilegien der Bürger anfällig bin. Ich bin anfällig für die Wirkung eines schönen Kleides, aber es stört mich, daß die Frau, die es trägt, damit nicht nur ihre Schönheit zur Geltung bringt, sondern auch ihre gesellschaftliche Stellung und das dazugehörende Vorrecht, drei Stunden täglich für ihre Toilette aufzuwenden. Ich habe nichts gegen ein großes Haus, ich habe nur was gegen die Leute, die es haben. Es gefällt mir, in einem großen, schnellen Auto durch die Landschaft zu fahren, aber ich will nicht zu denen gehören, die es besitzen. Mich empört nicht das Vorhandensein dieser Genußmittel, sondern daß sie Leuten vorbehalten sind, die sich diese Genüsse nicht erarbeitet haben, und damit meine ich nicht nur die Genüsse, sondern die Bedürfnisse nach ihnen. Du bekämpfst aber nicht nur das Privileg, das die herrschende Klasse an diesen Genüssen hat, sondern auch die Genüsse selber, du bestreitest, daß es sich überhaupt um Genüsse handelt. Gib doch zu, daß es angenehm ist, wenn einem morgens das Frühstück ans Bett gebracht wird, was uns wütend macht ist doch, daß der, der es bringt, in der Regel nicht selber in diesen Genuß kommt.«

Als sie die Zahlstelle auf der Autobahn passierten, wollte Lenz wissen, wohin das Geld ginge. Paolo erklärte, daß in Italien die meisten Autobahnen Privateigentümern gehörten. Die Länge der Teilstrecken hing völlig vom Kapital dieser Privatfirmen ab. Im Norden des Landes, erzählte Paolo, gab es eine Teilstrecke, die nur deswegen seit Jahren nicht fertiggestellt wurde, weil zwei konkurrierende Firmen sich um den Auftrag stritten. In der Regel beschränkten sich die großen Firmen darauf, den Auftrag zu ergattern und das Kapital vorzustrecken, dann ließen sie kleinere Firmen um den Ausführungsauftrag konkurrieren. Um die Konkurrenz unter den kleinen Firmen zu erhöhen, vergaben die großen Firmen immer nur Aufträge für ein oder zwei Kilometer, die die kleinen Baufirmen mit Hilfe billiger Arbeitskräfte aus dem Süden ausführten. Durch dieses System war es den großen Firmen gelungen, Autobahnstrecken von 100 und 200 km in ihren Besitz zu bringen, ohne selber einen einzigen Sack Zement zu kaufen. Lenz kam es plötzlich verrückt vor, daß es irgendwo in Italien einen Mann gab, der auf diesem Stück Autobahn fahren und sagen konnte, das gehört mir.

Paolo wies auf die Reklametafeln, die am Rand der Autobahn aufgestellt waren. Einige Tafeln zeigten nur einen Buchstaben – durch die Geschwindigkeit, mit der man an den im Abstand von zehn Metern angebrachten Buchstaben vorüberfuhr, wurden sie zu einem Wort. Den Namen Pirelli nahm Paolo zum Anlaß, Lenz und B. von den Kämpfen zu berichten, die dort in den letzten drei Monaten stattgefunden hatten. Bei einem neuen Firmennamen, der am Rand der Autobahn erschien, unterbrach er sich und fing mit einer entsprechenden Erzählung an.

Einmal sahen sie den gewaltigen, elefantenähnlichen Umriß eines Tieres vor einem großen Gebäudekomplex. Paolo erklärte ihnen, daß sich mehrere große Verbraucherkonzerne zu einem neuen Unternehmen zusammengeschlossen hatten, das sie Mammut nannten. Es handelte sich um eine Kette von riesigen Verbrauchermärkten, die im ganzen Land außerhalb der Städte entstanden. Lenz wurde nervös, als Paolos und B.s Fragen und Antworten jetzt nicht mehr zu stoppen waren, als sie von Mammut auf die Konzerne kamen, denen das Mammut gehörte, von den Konzernen auf die Strategie, die sie mit diesem Unternehmen verfolgten, als sie schließlich über ähnliche Unternehmen in Frankreich und Deutschland sprachen, während der sichtbare Anlaß längst hinter ihnen verschwunden war.

Lenz genoß es, nach draußen zu schauen und alles wahrzunehmen – im Rhythmus der Fahrt. Was er sah, wollte er nicht so schnell in Begriffe auflösen, nicht gleich den Punkt erreichen, wo man nur noch das Wesen der Dinge, aber nicht mehr ihre Außenseite sah. »Jetzt haltet doch mal die Klappe«, fuhr er Paolo und B. an. »Ich kann nicht soviel auf einmal verstehen«, sagte er dann zu B., »ach was, natürlich kann ich es, ich habe nur keine Lust dazu.« B. wollte wissen, was er damit meine.

»Es kommt mir jetzt manchmal so vor«, erwiderte Lenz, »als hätte ich das richtige Tempo für meine Wahrnehmungen, für die Verknüpfung meiner Wahrnehmungen mit meinen Erkenntnissen gefunden. Jetzt, wo mir diese Landschaft gefällt, fällt mir ein, daß ich früher Landschaften immer nur mit Ekel und Angst anschauen konnte. Am liebsten war es mir, wenn ich sie im D-Zug durchfuhr und die Bäume oder Häuserwände dicht vor dem Fenster vorbeiflitzten, so daß man nichts genaues festhalten konnte. Ich verstand nie, wie jemand, die Hand an der Stirne, minutenlang auf irgendeinen Hügel oder einen Berg starren und sagen konnte: da, heute sieht man ihn ganz klar. Es kam mir dann vor, als wollte er sich gewaltsam an einen festen Punkt klammern. Aber auch wenn ich durch eine Straße ging oder in einem Cafe saß, erlebte ich meine Umgebung so, als würde sie im 100-km-Tempo an mir vorbeifliegen. Wenn ich aß, aß ich hastig, als würde mir jemand gleich den Teller wegnehmen, den Rauch einer Zigarette sog ich nie richtig ein, wenn ich saß, hatte ich das Gefühl, andere säßen mehr als ich. Auf Einzelheiten achtete ich nur, wenn sie absonderlich oder ungewöhnlich waren. Hatte jemand eine Hasenscharte, so konnte ich mir sein Gesicht und seinen Namen merken. Ich verband dann alles, was er tat oder ich über ihn hörte, mit diesem Merkmal. Wenn jemand berühmt war, so war er eben berühmt. War jemand besonders schön oder intelligent, so war das der Begriff, auf den ich ihn brachte. Ich sauste eigentlich immer in überhöhtem Tempo durch meine Umgebung und nahm nur diejenigen Merkmale wahr, die ich in der Eile an mich reißen und festhalten konnte.

Später, als ich lernte, politisch zu denken, änderte sich die Richtung meiner Wahrnehmung, aber an der Hast, eine Einzelheit für einen Begriff zu nehmen, änderte sich nichts. Wenn die Arbeiter um höhere Löhne kämpften, so kämpften sie in meinen Augen schon um die Abschaffung der Lohnarbeit. Wenn sie gegen einen Streikbrecher Gewalt anwandten, so bekannten sie sich endlich zur proletarischen Gewalt, wenn sie einen Gewerkschaftler einen Verräter nannten, so hatten sie den Verrat der Gewerkschaften durchschaut. Ernst nehmen konnte ich eine

Einzelheit nur, wenn ich sie in einen Begriff verwandelte, wenn ich sagen konnte, diese Einzelheit bedeutet dasselbe wie jene Einzelheit. Hier in Italien, wo ich mehr Geduld mit den Einzelheiten aufbringe, bemerke ich allmählich die Angst, die einen, was man wahrnimmt, so hastig verschlingen und in Begriffe verwandeln läßt.«

Paolo zeigte auf ein Motta-Schild, schlug vor, in der nächsten Raststätte etwas zu essen. Nach fünf Kilometern bogen sie von der Autobahn ab. Die beiden Gebäudeteile der Raststätte waren durch eine Brücke über die Autobahn miteinander verbunden, in der sich ein Restaurant befand. Sie fanden einen Tisch am Fenster. Es machte Lenz Spaß, nach dem Fahren aus einem ruhenden Fenster die Landschaft zu sehen, durch die sie eben gefahren waren. Als er hinunterschaute auf den ununterbrochenen Autostrom, stellte sich das gleiche Gefühl ein, das er einmal in einer Schwimmhalle hatte, als er nach dem Schwimmen noch einen Kaffee trank und durch die Glaswand den Schwimmern zuschaute, zu denen er eben selber noch gehört hatte. Irgendwie war es komisch, in den anderen sich selbst zu sehen. Jetzt erst wurde einem klar, daß man gerade geschwommen war, daß man dies und nichts anderes getan hatte. »Überall, nicht nur auf der Autobahn«, sagte Lenz zu B., »müßte es solche Stationen geben, wo man anderen bei dem zuschauen kann, was man selber gerade noch gemacht hat. Mir hat es die ganze Zeit gefehlt, daß mir einer zuschaute bei dem was ich machte und daß ich ihm hätte zuschauen können. Ich habe es vorgezogen wegzureisen, weil ich meinen Freunden nur Ratschläge zutraute, aber nicht, daß sie einfach wiedergeben könnten, was ihnen beim Zuschauen auffiel. Sie nahmen immer nur einen Teil von mir wahr, weil sie nur einen Teil von sich selber wahrnahmen. Ich traute ihnen einfach nicht zu, daß ich mich durch sie kennenlernen würde, weil ich bei ihnen nichts von den Empfindungen und Wahrnehmungen wiedererkannte, die mich durch die Straßen trieben.«

Paolo beschrieb die Stadt, zu der sie fuhren. Sie liege zwischen den Alpen, die alten Leute liefen mit Kröpfen am Hals herum, in der guten Luft, für die die Stadt berühmt sei, gediehen die Kröpfe und die Kirchen. Im Krieg sei die Stadt und das Gebirge ein Zentrum des Partisanenkampfes gegen die Faschisten gewesen, überall in den Bergen lägen noch Waffen versteckt. Die Studenten überlegten sich jetzt, ob sie sie holen sollten. Paolo entwickelte dann sonderbare Zusammenhänge zwischen dem Christentum und dem Marxismus, er behauptete ernsthaft, Che Guevara setze mit der Waffe in der Hand die Arbeit von Jesus Christus fort. Lenz und B. widersprachen. Dann fiel Lenz ein, wie in Rom die neuen Straßen und Häuser um die alten Ruinen herumgebaut wurden, in Paolos Reden erkannte er dieselbe Neigung, die Vergangenheit zu benutzen, statt sie auszumerzen.

Als sie wieder im Auto saßen, warf Lenz B. von hinten die Arme um den Hals und küßte ihn. Lenz merkte, wie der Schreck, den er selber hatte überwinden müssen, B. in die Glieder fuhr. Er kannte B. seit vielen Jahren, aber so eine Berührung hatte noch nie stattgefunden. Sie hatten sich höchstens bei einem Nachhauseweg oder bei einer Demonstration einmal eingehakt oder den Arm um die Schulter gelegt. Zum ersten Mal roch Lenz B.s Haut. Der Geruch behagte ihm nicht, er wußte nicht, ob deswegen, weil er B. nie körperlich gespürt hatte. B.s Körper war Lenz so fremd wie der Anzug eines Raumfahrers. B. mußte es ähnlich gehen. Er rührte sich nicht, drehte dann den Kopf nach hinten und sah Lenz ratlos an.

»Ich wollte das mal probieren«, sagte Lenz. »Mir fiel vorhin auf, wie du ins Auto eingestiegen bist. Du hast dich in den Sitz gesetzt, als wäre er nicht für dich da. Obwohl du, glaube ich, keine Angst hast beim Autofahren, du sitzt da, als wartest du auf eine Katastrophe, die Hände im Schoß verschränkt. Und jetzt, wo ich das sage, fällt mir auf, daß ich das schon oft an dir wahrgenommen habe, dieses Dasitzen, nur gab es zwischen uns keine Mitteilungsform, die eine solche Beobachtung mitteilbar gemacht hätte. Wir haben immer nur ernst genommen, was wir sagten und taten. Wir haben nicht darauf geachtet, ob es mit unseren Bewegungen, unseren Stimmen übereinstimmte. Wenn du redest, wirkst du ganz optimistisch. Wenn ich dich sitzen sehe, wirkst du irgendwie resigniert. Warum soll ich das zweite nicht genauso ernst nehmen wie das erste?«

Es war dämmrig geworden. Als Lenz hinaussah, sah er die Bäume zu einer dunklen Masse erstarren, es war ihm widerlich, wie in dem Zwielicht die Gegenstände allmählich ihre Konturen verloren, es war noch zu hell, um die Scheinwerfer einzuschalten und schon zu dunkel, um draußen noch etwas Genaues zu erkennen. Alle fernen Gegenstände dunkel, nur der Berg neben ihm bildete eine scharfe Linie. Lenz hatte ein Gefühl, als würde ihm was entrissen. Er wehrte sich dagegen, in diese Schwärze zurückzufallen, wo man sich nur noch mit sich selber beschäftigen konnte, er wollte das nicht mehr haben.

Plötzlich fing B. an zu reden. Er sagte, unterwegs würden ihm plötzlich Nebensachen wichtig, die man vorher nicht wichtig genommen habe. Er beschrieb einen aus einer Gruppe, der beim Reden vor Hemmungen fast umkam, alle anderen taten so, als bemerkten sie seine Hemmung nicht und achteten nur auf das, was er sagte. Im Nachhinein fand er diese Sachlichkeit brutal. Dann erzählte B. von einem Treffen, das aus Gründen, die ihm nicht begreiflich waren, unter konspirativen Umständen stattfand. Man hatte die Autos vor einem Dorf abgestellt, damit sie nicht vor dem Treffpunkt standen, man war eine halbe Stunde durch den Regen gelaufen, um sich im Hinterraum eines Wirtshauses zu treffen, man hatte sich wieder aufgelöst, weil sich herausstellte, daß einer in einem Brief an einen anderen den Treffpunkt schriftlich genannt hatte und dadurch der Polizei vielleicht einen Hinweis geliefert hatte. B. hatte in seinem Leben noch nie soviel Angst gehabt, weil sich die andern aus Angst vor einer Entdeckung so auffällig benahmen, daß es fast unvermeidlich war, daß man auf sie aufmerksam wurde. Dabei handelte es sich bei der ganzen Sache um nichts weiter als um die Vorbereitung einer Demonstration, die auf eine möglichst breite Öffentlichkeit angewiesen war. B. sei diese Angst vor Verfolgung als ein Bedürfnis erschienen, verfolgt zu werden, um auf diese Weise die Aufmerksamkeit zu erregen, die in der praktischen Arbeit nicht erreicht worden sei. Jemand habe ihn neulich schon verloren gegeben, weil er es fertig brachte, mitten im Vietnamkrieg seine Küche zu streichen. B. sprach dann von den Gesichtern, dem Singsang, den rituellen Sätzen.

Lenz kam das alles so weit entfernt vor, er mochte nichts davon hören. »Es ist mir inzwischen egal, ob sich das verallgemeinern läßt«, sagte er, »ich jedenfalls bin nicht mehr bereit, diese Nebensachen, von denen du sprichst, im Namen irgendwelcher Hauptsachen zu unterdrücken, es sei denn, wir werden dazu gezwungen. Wenn ich mit jemand eine Sache anfasse, dann möchte ich verdammt noch mal wissen, ob ich den auch anfassen kann.«

Mitten in der Nacht kamen sie in Trento an. Bevor Lenz einschlief, fuhr er im Halbschlaf die ganze Strecke noch einmal zurück.

Am anderen Morgen, nachdem sie sich mit Paolos Freunden bekannt gemacht hatten, fuhren sie mit der Seilbahn hinauf, 500 Meter über die Stadt. Breite Bergflächen, die sich aus großer Höhe in ein schmales, langgestrecktes Tal zusammenzogen, ein Fluß wand sich hindurch, dahinter wieder große Felsmassen, die sich nach unten ausbreiteten. Kein Geräusch, keine Bewegung, in dem Licht stand alles ruhig und fest da, die Ruhe machte Lenz keine Angst. Unten die Stadt, auf manchen Fenstern und Dächern blitzte es gleißend hell auf, so daß man hinschauen mußte, andere lagen stumpf und trocken da, Autos bewegten sich langsam und gleichmäßig, von unsichtbaren Fäden gezogen. Paolo und seine Freunde zeigten auf die Gebäude, die die Stadt beherrschten: die Kirchen, das Polizeipräsidium, das Rathaus, Kaufhäuser, zwei Fabriken am Rand der Stadt und die niedrigen Wohnkasernen.

Sie zeigten die Route, die die letzte Demonstration genommen hatte, von den Wohngettos durch das Stadtzentrum vor das Rathaus. Dann den Platz, der jetzt leer war, auf dem sich 8000 Arbeiter und Studenten versammelt hatten, die Straßen, von denen aus die Polizei vorgerückt war, die Punkte, an de-

nen Barrikaden errichtet wurden. Sie lenkten B.s und Lenz'
Blicke auf die Steilhänge außerhalb der Stadt, an denen die
Bauern auf kleinen Feldern ohne technische Hilfsmittel pro-
duzierten. Sie erzählten von einer Demonstration, mit der die
Bauern gegen die hohen Verdienstspannen durch den Zwi-
schenhandel protestierten, von den Spruchbändern, die sie mit
sich führten.
Dann weiter nach Osten ein Tal, das durch eine Hügelkette
fast vollkommen verdeckt war. Lenz sah nur Punkte, Gerippe
von Hütten verstreut auf den Hügeln, durch schmale gewun-
dene Wege miteinander verbunden. Er erfuhr, vor einem Jahr
sei das Tal zu einem Vulkan geworden, die ganze Umgebung
sei erschüttert worden. Das Tal wurde seit etwa hundert Jahren von einer Familie beherrscht, in ihrem größten Werk, einer
Textilfabrik, waren etwa 5000 Arbeiter beschäftigt. Eines Morgens, als neue Stückzahlen per Anschlag bekannt gegeben
wurden, brach der seit Jahren und Jahrzehnten gestaute Haß
der Bevölkerung gegen ihren Feudalherrn los. Die Gewerkschaften erklärten einen 24-stündigen Generalstreik, der ohne
Ergebnis blieb. Auf einen zweiten spontanen Streik antwortete
der Unternehmer durch Aussperrung der Arbeiter. Die Arbeiter sammelten sich mit ihren Frauen und Kindern auf der
Straße und stürzten als erstes die Bronzestatue vom Sockel,
die der Unternehmer im Zentrum des Städtchens hatte auf-
stellen lassen. Sie drangen in seine Kaufhäuser ein und schaff-
ten die Waren heraus. Sie zündeten seine Taxis an und besetzten seine Fabrik. Die Bauern unterstützten sie mit Lebens-
mitteln, bis die wichtigsten Forderungen der Arbeiterfamilien
erfüllt waren. Das Tal hieß Valle del Agno, das bedeutet, Tal
des Lammes. »Das Lamm ist zum Löwen geworden«, schrieben
die Arbeiter auf die Mauern der Textilfabrik. Diese Parole
erschien hundertfach auf den Fabrikmauern in ganz Italien
wieder.
Lenz gefiel das alles. Er hörte gespannt zu, er fragte nach
vielem, was er nicht verstanden hatte. Die reglose Landschaft
unter ihm belebte sich mit den Bildern der Kämpfe, von denen er eben gehört hatte. Wie er da oben stand und hinunter-

schaute, erschienen ihm die Kämpfe, die er auf dem Schauplatz seiner Seele austrug, unwichtig und lächerlich. Er spürte, wie sich die Richtung seiner Aufmerksamkeit änderte, wie seine Augen aufhörten, nach innen zu schauen. Er mochte nicht mehr da oben bleiben, er wollte hinunter, wieder einer von diesen vielen Punkten werden, die sich da unten bewegten.

Sie fuhren hinunter, in einem Restaurant wurden sie erwartet. Lenz und B. ließen sich erklären, welche Kämpfe die Studenten bisher geführt hatten, wie sie in den Wohnvierteln und vor den Fabriken arbeiteten, welche Auseinandersetzungen bevorstanden, nach welchen Prinzipien mit welchen Parolen sie ihre Aktionen organisierten. Zu allem wußte er Vorschläge zu machen, Fragen zu stellen. Die theoretischen Kenntnisse, die er sich früher angeeignet hatte, erschienen Lenz plötzlich unentbehrlich, er wunderte sich, warum sie ihm früher so oft wie hohles Gerede vorgekommen waren.

Am Nachmittag hielt B. seinen Vortrag in einem Versammlungsraum der Universität. Er sprach über den Zusammenhang der Kämpfe in Deutschland mit den Befreiungsbewegungen in der Dritten Welt. Die Neugier der Zuhörer übertrug sich auf Lenz, jetzt, wo er als Zuhörer unter den anderen saß, fragte er sich, warum er B. noch nicht mit der gleichen Neugier danach gefragt hatte. Hinterher wurden sie mit Fragen bombardiert, sie mußten alles sagen, was sie wußten, nichts schien unwichtig, sie wurden ausgequetscht wie Zitronen. Da Lenz und B. die Sprache nicht gut genug beherrschten, wurde alles übersetzt. Die Pausen, die so zwischen den einzelnen Sätzen entstanden, ließen Lenz Zeit, sich jeden Satz vorher zu überlegen, was er sagte, kam ihm merkwürdig neu und überzeugend vor. Aber wenn er sich selber zuhörte, mußte er zugeben, daß seine Sätze erst durch die Neugier der Zuhörer neu wurden und daß er dann auch Dinge sagte, von denen er gar nicht wußte, daß er sie wußte.

Später, als sie beim Essen beisammen saßen, sagte einer zu Lenz: »Alle wollen, daß du hier bleibst, warum bleibst du nicht eine Weile?« Lenz hatte Zeit. Aber er sei Ausländer, er spreche die Sprache zu schlecht, er kenne die Situation nicht genug. »Alles schön und gut«, hielt man ihm entgegen, »aber warum überläßt du's nicht uns, ob das ein Hinderungsgrund ist? Warum probierst du's nicht aus, wenn wir es mit dir probieren wollen? Von uns erfährst du schon rechtzeitig, wenn wir dich nicht mehr brauchen können.« Lenz sprach mit B. darüber. B. riet ihm zu bleiben. »Warum probierst du's nicht aus«, wiederholte er, »warum kommst du jetzt mit irgendwelchen eingebildeten Pflichten, wenn du jetzt Gelegenheit hast, vielleicht aus Lust eine politische Arbeit zu machen, die du vorher nur als Notwendigkeit und Zwang empfunden hast?« Am anderen Morgen verabschiedete sich B., Lenz versprach, ihm zu schreiben.

Zwischen den Bergen war es kälter als in Rom. Lenz merkte jetzt erst, daß es Herbst geworden war. Immer häufiger wurde er abends gefragt, ob er in seinen leichten Sachen nicht friere. Von überall wurden ihm wärmere Sachen angeboten. Von dem einen erhielt er einen Mantel, von dem anderen einen Pullover, in kurzer Zeit war er neu eingekleidet und nur noch durch seine holpernde Sprache von seinen neuen Bekannten zu unterscheiden. Er ließ sich anstecken von der Unbefangenheit, mit der sie mit ihm und miteinander umgingen. Er gewöhnte sich daran, daß jeder jeden anfaßte, wenn es ihm in den Sinn kam, ohne daß es sich dabei um irgendeine Anspielung gehandelt hätte. Es wurde ihm selbstverständlich, daß man sich für seine Zweifel und Unsicherheiten ebenso interessierte wie für seine Standpunkte. Da er mit den meisten ohne weiteres über L., über einen Traum, über eine Angst sprechen konnte, erschien es ihm nicht mehr so wichtig, darüber zu sprechen.

Er beobachtete, daß die persönlichen Konflikte oft von selber, ohne daß es eines Planes bedurft hätte, gelöst wurden. Ein Mädchen, das besonders steif wirkte und selten den Mund aufmachte, wurde von ihren Bekannten ständig in spaßhafte Ringkämpfe verwickelt und herumgestoßen, bis sie sich wehrte und protestierte. Später erfuhr Lenz, sie war von ihrem Vater vergewaltigt und auf einer katholischen Mädchenschule erzogen worden. Die meisten ihrer Bekannten wußten nichts davon, sie verhielten sich aber so, als hätten sie es darauf abgesehen, an Stelle ihres Vaters von ihr verprügelt zu werden. Ein Stotterer, der eine unglückselige Liebe zu unaussprechbaren Wörtern hatte, wurde oft, wenn er sich verhaspelte, unterbrochen. Man tat nicht so, als würde man sein Stottern nicht bemerken, man störte sich daran, machte ihn auch nach, bis er das Wort entweder herausbrachte oder einen Wutausbruch bekam. Das alles ergab sich ohne Verabredung, ohne Plan, es funktionierte so.

Oft nach den Versammlungen wurden die Gitarren geholt, und wenn keine aufzutreiben waren, ein Rhythmus mit den Händen auf Tische und Bänke geschlagen, auf den alle zu tanzen begannen. Jemand machte das Licht aus, in der Dunkelheit ergriff einer das Mikrophon und begann zu ächzen und zu stöhnen, dann zu schimpfen und zu schreien. Durch Zurufe aus dem Dunkeln wurde er angefeuert, er improvisierte, halb ernst, halb spaßhaft, eine Beichte über die Untaten, die er als gehorsamer Sohn seiner Eltern begangen hatte, er ging über zu einer Beschimpfung der Zuhörer, er wurde beschimpft, bis jemand das Licht anmachte und alle einen Augenblick lang erstaunt und unsicher dastanden.

Lenz blieb. Er schrieb keine Briefe und telefonierte nicht mehr nach Deutschland. Er sehnte sich nirgends zurück und nirgendwo hin. Er lernte wie ein Kind sprechen, durch Nachahmung und Beobachtung. Es fiel nicht mehr auf, wenn er nach einem Wort fragte, das er nicht verstand. Er ging auf die Versammlungen und redete dort, als gehörte er dazu. Da er die Bedürfnisse der Studenten und der Arbeiter, die er kennenlernte, jeden Tag offen vor sich sah, zweifelte er nicht an den Begriffen, mit denen er sie ausdrückte. Er las wieder viel. Er beteiligte sich daran, die Arbeit der Studenten aus der Universität hinauszutragen in die Stadtviertel und Fabriken, er machte sich Feinde. Manchmal, wenn er aus seinem Fenster hinaus sah auf die Berge, erinnerte er sich mit einer gewissen Unruhe an ein Kunststück, das ihm als Kind Eindruck gemacht hatte. Ein Seiltänzer balancierte auf einem Drahtseil, das von einem Haus zum Kirchturm gespannt war, mit einem langen Stab in den Händen bergan.

Es ging ihm gut, wenn er durch die paar Straßen des Zentrums ging. Er sah alles und wurde gesehen. Jeden Tag wurden ihm von dem nächstbesten Bekannten diese kleinen Veränderungen mitgeteilt, die in Deutschland nur eine lang vertraute Geliebte an ihm bemerkte: wie er heute aussehe, daß ihm dieser Pullover nicht stehe, was mit ihm los sei, er wirke diesmal so lustlos. Jede Regung wurde auf frischer Tat ertappt und zur Rede gestellt, er lernte, dieselbe Aufmerksamkeit gegenüber seinen neuen Freunden zu entwickeln. Er wunderte sich, wie das möglich war: solange er allein in Italien war, lief er mit dem Gefühl herum, keine einzige Frau auf der Welt von sich überzeugen zu können, und solange er dieses Gefühl hatte, war es auch so – während er jetzt das Gefühl hatte, jede Frau, die ihm gefiel, herumkriegen zu können, und seit er dieses Gefühl hatte, stimmte das auch. Er strengte sich an, die Erwartungen, die an ihn heran getragen wurden, zu erfüllen. Er fühlte deutlich, daß er tatsächlich Pflichten übernommen hatte und daß der Haß über ein eigenes Versagen sein eigener Haß war. Nicht weil er Angst hatte, die anderen würden ihn heruntermachen, sondern weil sie traurig und enttäuscht gewesen wären.

Es gab keinen Grund, irgendetwas von sich zu verstecken. Vielleicht erlebte er deswegen ganz unerwartet Szenen aus seiner Kindheit wieder. Einmal wurde er morgens aus dem Bett geholt, um einen Fiat anschieben zu helfen, der nicht anspringen wollte. Zu zweit mußten sie den Wagen mehrmals anschieben, bis er schließlich ruckend weiterfuhr. Die unerwartete Anstrengung, noch fast im Halbschlaf, erschöpfte ihn so, daß ihm schwindlig wurde und er sich auf die Türschwelle setzen mußte. Wie er dasaß, war wieder dieser Riß da, so stark, daß er unmöglich nur von dieser Anstrengung herrühren konnte. Lenz fiel und fiel unaufhaltsam, durch viele Jahre zurück.

Als er jetzt aus halbgeschlossenen Augen zu den Bergen hinaufschaute, die scharf und kalt in der Sonne standen, sah er die Berge wieder, zwischen denen er aufgewachsen war. Es war Krieg. Sein zehnjähriger Freund zeigte ihm, wie dort oben seine Mutter mit einem Mann, der nicht sein Vater war, im Geröll spazieren ging. Er hielt ihm das Fernglas an die Augen und beschrieb ihm so genau, was sich dort oben abspielte, bis er die Gestalten seiner Mutter und des fremden Mannes zu erkennen glaubte. Er spürte eine unerträgliche Angst, daß seine Mutter ihn mit diesem fremden Mann verließ.

Dann sah er in rascher Folge andere Bilder, die mit dem ersten zusammenhingen. Er erinnerte sich, wie er als achtjähriger Junge mit seinem Freund nächtelang durch die Wälder und Dörfer der Umgegend streifte und erst in den frühen Morgenstunden nachhause kam. Eines Morgens, als es schon hell wurde, hatte ihn seine Mutter im Nachthemd und mit einem Stock erwartet. Sie hatte ihn blutig geschlagen und am nächsten Morgen war sie weggefahren zu seinem Vater, der in einer anderen Stadt lebte, und war dort gestorben. Das vor Wut und Ratlosigkeit verzerrte Gesicht seiner Mutter war das letzte, was er von ihr gesehen hatte. Die Nachricht von ihrem Tod hatte er gleichgültig aufgenommen. Erst viel später spürte er den Riß, den es ihm damals gegeben hatte.

Dann fiel ihm ein, wie er Jahre später verzweifelt durch die Wälder gerannt war auf der Suche nach irgendwas, was er nicht kannte. Ihm fiel das Gefühl des Triumphes ein, das er hatte, wenn er nachts und verspätet zu L. zurückkam und sie wütend aus dem Haus lief. Es war ihm, als habe er sie immer wieder in Situationen gebracht, die sie verletzten, als wollte er beweisen, daß es ihm nichts ausmachte, der Mörder seiner Mutter zu sein.

Am Abend, als Lenz seinen Freunden in Stichworten von seinem Erlebnis erzählte, kam es ihm nicht mehr so wichtig vor. Sie hörten ihm neugierig zu. Was er erzählte, erschien ihnen nicht seltsam oder abwegig, aber durch das Erzählen rückte alles wieder weit weg. Er merkte, daß er das Erlebnis, das er beschrieb, dadurch hinter sich ließ, daß er es beschrieb.

Lenz befreundete sich mit einem Arbeiter, den er an einem der ersten Tage kennengelernt hatte. Er wurde häufig von Roberto zum Essen eingeladen, er begleitete ihn auf seinen Gängen durch die Stadt, am Nachmittag oder am Samstag vormittag ging er mit zum Einkaufen, zu Besuchen, zu Versammlungen. Lenz fiel auf, daß sich Robertos Wohnung in allem von den Wohnungen unterschied, in denen Lenz verkehrte. Die Möbel waren nicht teurer, aber sie wurden peinlich sauber gehalten, jedes Möbelstück hatte einen festen Platz. Lenz fiel ein, daß der Stuhl, den er vor Wochen einmal neben einen Schrank gestellt hatte, um hinaufzulangen, noch immer neben dem Schrank stand. Weder ihm noch einem der Studenten, mit denen er zusammenwohnte, war in der Zwischenzeit eingefallen, den Stuhl an seinen alten Platz zurückzustellen. In Robertos Wohnung gab es keinen Wäscheberg im Badezimmer und keinen fünf Tage alten Abwasch in der Küche. Die Mahlzeiten wurden nicht improvisiert, und wenn Lenz Robertos Frau beim Einkauf begleitete, bemerkte er, daß Anna zwar meistens möglichst billig einkaufte, aber manchmal nahm sie einen besonders teuren Wein oder ein besonders gutes Stück Fleisch. Lenz fiel ein, daß seine Studentenfreunde zwar ebenfalls teure und billige Sachen einkauften, aber dieser Wechsel war ziemlich absichtslos, was sie essen wollten, fiel ihnen in dem Moment ein, wo sie die Ware sahen. Die Rechnung erstaunte sie nicht, weil sie sowieso davon ausgingen, daß die Lebensmittelkonzerne die Waren zu überhöhten Preisen verkauften.
Eines Abends fragte ihn Anna, ob es ihm schmecke. Lenz antwortete mit den üblichen Redensarten, aber plötzlich fand er diese Achtlosigkeit verletzend. Sie bedeutete, daß Anna ihre Phantasie umsonst angestrengt hatte. Er überlegte, warum er nicht sagen konnte, ob ihm diese Art das Fleisch zuzubereiten, lieber war als eine andere, warum ihm das wie eine überflüs-

sige Floskel vorgekommen wäre. Er hatte sich abgewöhnt, auf das Essen zu achten, weil die übertriebene Bedeutung, die das Essen im Bürgertum hatte, tatsächlich eine Achtlosigkeit gegenüber anderen, wichtigeren Dingen darstellte. Eine ähnliche Erfahrung machte Lenz mit seinem Verhältnis zu Büchern. Roberto zeigte ihm seine Lieblingsbücher, bei jedem fragte er, ob Lenz es kenne. Kannte er es nicht, so drängte er Lenz, es mitzunehmen, er müsse es unbedingt lesen. Lenz gestand, daß er längere Zeit kaum gelesen habe, jedenfalls keine Romane. Ob Lenz nicht genug Zeit dafür habe. Lenz erwiderte, er habe früher zuviel gelesen. Wie man denn zuviel lesen könne, fragte Roberto, das verstünde er nicht.

Häufig begleitete Lenz die beiden, wenn sie zu einem Freund oder zu einer Versammlung gingen. An jeder Straßenecke lief ihnen jemand über den Weg, den sie grüßten, sie kannten den Tabakhändler, den Kellner, die Frauen, die ihre Einkaufstaschen nachhause schleppten, ständig blieben sie stehen und wechselten ein paar Worte. Von jedem wußten sie, mit welcher Partei er sympathisierte, was er vor zehn Jahren gemacht hatte, sie nahmen jede Gelegenheit wahr, ihre Meinungen auszutauschen. Lenz fragte Roberto, ob die Leute wüßten, daß er Kommunist sei und daß der Staat mehrere Prozesse gegen ihn führte, wegen der Anstiftung zu einer Eisenbahnblockade, Widerstand gegen die Staatsgewalt, Rädelsführerschaft bei einer Fabrikbesetzung. »Natürlich wissen sie es«, antwortete Roberto, »es stand ja alles in der Zeitung drin. Aber ich bin hier aufgewachsen, mich kennt jeder, ich habe mich auch schon vor diesen Aktionen für meine Kollegen eingesetzt, und sie wissen, daß ich einer von ihnen bin. Auch wenn jetzt viele mit meinen Ansichten und mit manchem, was ich getan habe, nicht einverstanden sind, sie sagen sich, irgend etwas wird der sich schon dabei gedacht haben. Einer, den man solange kennt, kann nicht von einem Tag auf den anderen verrückt geworden sein.«

Auf den Arbeiterversammlungen wurde hauptsächlich über die täglichen Vorkommnisse im Betrieb gesprochen. Lenz wunderte sich darüber, mit welcher Wut und Rücksichtslosigkeit die Arbeiter immer wieder Entscheidungen der Gewerkschaften kritisierten, ohne daß einer der Begriffe fiel, die die Studenten propagierten, »langer Arm des Unternehmers«, und dergleichen. Lenz fragte seinen Freund, wie er diese Angriffe mit seiner Funktion als Ortsfunktionär der kommunistischen Gewerkschaft vereinbaren könne.

»Natürlich bleibe ich in der Gewerkschaft, solange es überhaupt geht«, sagte er, »warum soll ich ihnen und euch den Gefallen tun, freiwillig das Feld zu räumen. Natürlich habe ich hier mehr Schwierigkeiten als in euren Gruppen, aber ich habe auch mehr Einfluß. Wir können euch brauchen: ihr könnt uns Dinge erklären, die wir nicht verstehen, ihr habt uns Kampfformen vorgemacht, die wir schon fast vergessen hatten, ihr könnt uns helfen, Flugblätter zu schreiben, die ohne eure Hilfe nicht zustande kämen. Aber wie lange werdet ihr dabei bleiben? Eure Begeisterung für unsere Sache, woher kommt die? Ihr habt nicht die gleichen Probleme wie wir, weil ihr nicht dieselbe Arbeit machen müßt wie wir. Solange wir euren Ideen folgen, geht alles gut. Was wird aber, wenn es uns nicht mehr nützt, euren Ideen zu folgen, wenn wir euch enttäuschen müssen? Wenn wir uns über einen Erfolg freuen, der euch zu geringfügig erscheint? Wir kennen unsere Interessen, weil wir sie täglich verteidigen müssen. Aber eure Interessen, kennen wir die? Kennt ihr sie? Worunter leidet denn ihr? Was wollt ihr für euch? Das werden wir schon merken, aber solange ich das nicht weiß, warum soll ich euch mehr trauen als einem Gewerkschaftsfunktionär, von dem ich mindestens weiß, daß er seinen Posten behalten will? Ihr gefallt mir, weil ihr mutig seid. Aber ihr verbergt irgendwas.«

Eines Morgens, als Lenz in seinem Cafe saß, um einen Capuccino zu trinken, wollte er den Kellner nach einem Kaffeelöffel fragen, den er vergessen hatte. Das Wort für Löffel fiel ihm nicht ein. Er war schon aufgestanden, um dem Kellner nachzulaufen. Aber dann erinnerte er sich, daß er schon mehrmals nach dem entsprechenden Wort gefragt hatte und daß er es jedesmal wieder vergessen hatte. Die Vorstellung, dem Kellner durch Zeichen verständlich machen zu müssen, was er wollte, war ihm in diesem Augenblick so widerwärtig, daß er zu seinem Platz zurückkehrte und mißmutig den ungezuckerten Capuccino herunterschlürfte. Er konnte einigermaßen fließend reden, in den zehn Stunden, die er täglich mit den Studenten zusammen war, hatte er gelernt, die schwierigsten Dinge auf italienisch zu sagen, ohne zu stocken, konnte er über Entfremdung, doppelte Ausbeutung, sexuelle Repression reden, aber das Wort für Kaffeelöffel wußte er immer noch nicht. Plötzlich war ihm, als säße er neben sich und sähe sich da sitzen. Die braunen Cordhosen gehörten dem Stotterer Massimo, den Mantel hatte er von einem Marxisten-Leninisten, mit dem er immer häufiger Streit bekam, den Pullover hatte eines Abends sein Arbeiterfreund aus dem Schrank geholt. »Was machst du bloß in all diesen fremden Sachen?«, fragte Lenz den, der am Tisch saß und ungezuckerten Capuccino trank.

Mittags, auf dem Weg zu einer Versammlung, wurde Lenz von zwei Herren in Anzügen angesprochen. Ob er Lenz heiße. Als Lenz die Herren nach ihrer Absicht fragen wollte, hakten sie ihn links und rechts unter. Mehr fliegend als laufend landete er in einer Seitenstraße, in einem Auto. Es handelte sich um seine Aufenthaltsgenehmigung, die Sache sei gleich erledigt. Auf der Fahrt zum Polizeipräsidium stellten die beiden Herren Lenz Fragen. Sie wußten, wer seine Freunde waren, auf welchen Versammlungen er gewesen war, welche Ansichten er geäußert hatte. Auf dem Polizeipräsidium ließ man ihn einige Stunden warten. Dann kam ein anderer Herr und legte Lenz ein mit einem Siegel versehenes Schriftstück vor. Es wurde Lenz nicht gestattet, seine Sachen zu holen oder zu telefonieren. Er wurde zur Grenze gebracht. Auf der Fahrt redete niemand mit ihm, er machte auch keinen Versuch dazu. Sie fuhren in das Gebirge, Lenz sah einen Zug nach Italien herunterfahren. Bei der raschen Fahrt durch die vielen Kurven wurde ihm schlecht. Er mußte aussteigen, sich übergeben. Danach war er plötzlich ganz klar im Kopf. Er sah ruhig hinaus, die Berge waren ihm gleichgültig, keine Erinnerung, keine Spur von Angst.

Ein paar Tage später lief er mit B. durch die alten Straßen. Was er sah, machte ihn ungeduldig. Immer noch saßen die gleichen Leute in den gleichen Cafes, immer noch die gleichen Lieder aus den Boutiquen, immer noch die gleichen Schlagzeilen in den gleichen Zeitungen, das Hochhaus des Verlegers stand immer noch. Und sonst? Die Betriebsgruppe interpretierte immer noch am gleichen Text herum, erfuhr Lenz, der Student Dieter hatte immer noch seinen strahlenden Blick, immer noch gründeten Studenten neue Parteien. »Wie und warum soll sich das denn alles verändert haben«, fragte B., »etwa deswegen, weil du nicht da warst?« Später merkte Lenz, daß er wieder zu schnell gewesen war. Der Student Dieter hatte es satt bekommen, nachts Uhren zu reparieren, hatte im Betrieb gekündigt und bereitete sein Examen vor. War das was Neues? Immerhin. Wolfgang hatte von einem Tag auf den andern die Koffer gepackt und ohne ein Wort der Erklärung das Zimmer in seiner Wohngemeinschaft aufgegeben. Er hatte Spaß daran, sich eine eigene Wohnung einzurichten. Das Paar, das seit drei Jahren in Trennung lebte, hatte sich getrennt. Neue Gruppen waren entstanden, die auch mal Musik zusammen hörten. Lenz wurde schon neidisch, daß diese Veränderungen ohne ihn stattgefunden hatten. B. erzählte Lenz dann, er müsse von zuhause ausziehen, er habe keine Lust, Lenz das jetzt zu erklären, jedenfalls wolle er verreisen, weit weg, am liebsten nach Lateinamerika. Was Lenz denn jetzt tun wolle. »Dableiben«, erwiderte Lenz.

PETER SCHNEIDER, geboren 1940 in Lübeck, aufgewachsen in Grainau und Freiburg. Lebt seit 1961 in Westberlin.

Er veröffentlichte zahlreiche Aufsätze (vor allem im »Kursbuch«) und schrieb – mit Dieter Bitterli – Fernsehfeatures für den WDR, »Schulkampf«, »Frau Elisabeth Markquardt – Geschichte eines Lebens, das in den Geschichtsbüchern nicht vorkommt« und »Männeremanzipation«. 1970 erschien sein Band »Ansprachen – Reden, Notizen, Gedichte«.

Bernd Rabehl
Geschichte und Klassenkampf
Einführung in die marxistische Geschichtsbetrachtung
der Arbeiterbewegung
Rotbuch 100 · 192 Seiten · 7 Mark

Aras Ören
Was will Niyazi in der Naunynstraße
Ein Poem
Rotbuch 101 · 72 Seiten · 5 Mark

F. C. Delius
Unsere Siemens-Welt
Eine Festschrift zum 125jährigen Bestehen des Hauses S.
4. Auflage. 22. bis 27. Tausend
Rotbuch 102 · 108 Seiten · 6 Mark

Vom gleichen Autor liegen bereits vor:
Kerbholz
Gedichte
72 Seiten · 5 Mark

Wir Unternehmer
Über Arbeitgeber, Pinscher und das Volksganze
96 Seiten · 5 Mark 80

Wenn wir, bei Rot
Gedichte
72 Seiten · 5 Mark 80

Jahrbuch zum Klassenkampf 1973
Sozialistische Initiativen im kapitalistischen Deutschland
Herausgegeben von Harald Wieser
Rotbuch 103 · 192 Seiten · 7 Mark

Peter Schneider
Ansprachen
Reden, Notizen, Gedichte
72 Seiten · 5 Mark 80

David Rjazanov
Marx und Engels für Anfänger
Nachwort von Bernd Rabehl
Rotbuch 105 · 192 Seiten · 7 Mark

Yaak Karsunke
Josef Bachmann/Sonny Liston
Versuche aus der Unterklasse auszusteigen
Rotbuch 106 · 72 Seiten · 5 Mark

Vom gleichen Autor liegen bereits vor:
Kilroy & andere
Gedichte
72 Seiten · 5 Mark 80

reden & ausreden
Gedichte
60 Seiten · 5 Mark 80

Eschen/Plogstedt/Sami/Serge
Wie man gegen Polizei und Justiz
die Nerven behält
Rotbuch 107 · 96 Seiten · 5 Mark

Heiner Müller
Geschichten aus der Produktion
Rotbuch 108 · 160 Seiten · 8 Mark

Hoffmann's Comic Teater
Will dein Chef von dir mal Feuer
Rollenspiele und was man damit machen kann
Rotbuch 109 · ca. 96 Seiten · ca. 5 Mark

Kurt Mandelbaum
Sozialdemokratie und Leninismus
Rotbuch 110 · ca. 112 Seiten · ca. 6 Mark

Arno Münster
Der Kampf bei LIP
Arbeiterselbstverwaltung in Frankreich
Rotbuch 111 · ca. 192 Seiten · ca. 7 Mark

Alfred Behrens
Die Fernsehliga
Spielbericht vom Fußballgeschäft der Zukunft
Rotbuch 112 · ca. 96 Seiten · ca. 7 Mark

Amilcar Cabral
Die Revolution der Verdammten
Der Befreiungskampf in Guinea-Bissao
Rotbuch 113 · ca. 180 Seiten · ca. 7 Mark

Gerd Höhne
Wir gehn nach vorn
Erfahrungsbericht über die Arbeitskämpfe bei Mannesmann
Rotbuch 114 · ca. 96 Seiten · ca. 5 Mark

E. Preobraczenskij
Die sozialistische Alternative
Marx, Lenin und die Anarchisten
Rotbuch 115 · ca. 140 Seiten · ca. 6 Mark

Karl Mickel
Einstein/Nausikaa
Die Schrecken des Humanismus in zwei Stücken
Rotbuch 116 · ca. 96 Seiten · 7 Mark

Heinz Rudolf Sonntag
Lateinamerika:
Faschismus oder Revolution
Rotbuch 117 · ca. 192 Seiten · 7 Mark

Schulkampf
Herausgegeben von Harald Wieser
Rotbuch 118 · ca. 112 Seiten · ca. 5 Mark

Rotkehlchen 1
Hoffmann's Comic Teater/Ton, Steine, Scherben
Herr Freßsack und die Bremer Stadtmusikanten
Eine Schallplatte · 30 cm $\emptyset$ · 33 UpM · 12 Mark 80

Roter Kalender 1974
160 Seiten · 3 Mark

Bitte verlangen Sie vom Verlag den kostenlosen Almanach ›Das kleine Rotbuch‹. Er informiert Sie ausführlich über die Arbeit des Verlages:

Rotbuch Verlag · 1 Berlin 31 · Jenaer Straße 9